CHINESE NAMES, SURNA
LOCATIONS & ADDRESS

中国大陆地址集

SHANXI PROVINCE - PART 4

山西省

ZIYUE TANG

汤子玥

ACKNOWLEDGEMENT

I am deeply indebted to my friends and family members to support me throughout my life. Without their invaluable love and guidance, this work wouldn't have been possible.

Thank you

Ziyue Tang

汤子玥

PREFACE

The book introduces foreigner students to the Chinese names along with locations and addresses from the **Shanxi** Province of China (中国山西省). The book contains 150 entries (names, addresses) explained with simplified Chinese characters, pinyin and English.

Chinese names follow the standard convention where the given name is written after the surname. For example, in 王威 (Wang Wei), Wang is the surname, and Wei is the given name. Further, the surnames are generally made of one (王) or two characters (司马). Similarly, the given names are also made of either one or two characters. For example, 司马威 (Sima Wei) is a three character Chinese name suitable for men. 司马威威 is a four character Chinese name.

Chinese addresses are comprised of different administrative units that start with the largest geographic entity (country) and continue to the smallest entity (county, building names, room number). For example, a typical address in Nanjing city (capital of Jiangsu province) would look like 江苏省南京市清华路 28 栋 520 室 (Jiāngsū shěng nánjīng shì qīnghuá lù 28 dòng 520 shì; Room 520, Building 28, Qinghua Road, Nanjing City, Jiangsu Province).

CONTENTS

CHAPTER 1: NAME, SURNAME & ADDRESSES (1-30)

451。姓名: 湛龙亚

住址（公园）：山西省长治市屯留区食郁路 297 号振渊公园（邮政编码：866804）。联系电话：81528955。电子邮箱：msapw@hxsgknve.parks.cn

Zhù zhǐ: Zhàn Lóng Yà Shānxī Shěng Chángzhì Shì Tún Liú Qū Yì Yù Lù 297 Hào Zhèn Yuān Gōng Yuán (Yóuzhèng Biānmǎ：866804). Liánxì Diànhuà：81528955. Diànzǐ Yóuxiāng：msapw@hxsgknve.parks.cn

Long Ya Zhan, Zhen Yuan Park, 297 Yi Yu Road, Tunliu District, Changzhi, Shanxi. Postal Code: 866804. Phone Number：81528955. E-mail：msapw@hxsgknve.parks.cn

452。姓名: 羊舌宽员

住址（公司）：山西省运城市盐湖区强熔路 442 号淹兵有限公司（邮政编码：894635）。联系电话：49624352。电子邮箱：voepu@puiaftlr.biz.cn

Zhù zhǐ: Yángshé Kuān Yún Shānxī Shěng Yùn Chéng Shì Yánhú Qū Qiǎng Róng Lù 442 Hào Yān Bīng Yǒuxiàn Gōngsī (Yóuzhèng Biānmǎ：894635). Liánxì Diànhuà：49624352. Diànzǐ Yóuxiāng：voepu@puiaftlr.biz.cn

Kuan Yun Yangshe, Yan Bing Corporation, 442 Qiang Rong Road, Salt Lake District, Yuncheng, Shanxi. Postal Code: 894635. Phone Number：49624352. E-mail：voepu@puiaftlr.biz.cn

453。姓名: 刁强昌

住址（火车站）：山西省朔州市应县食成路 264 号朔州站（邮政编码：869725）。联系电话：82391940。电子邮箱：gtqwn@qvbtpofe.chr.cn

Zhù zhǐ: Diāo Qiǎng Chāng Shānxī Shěng Shuò Zhōu Shì Yìng Xiàn Shí Chéng Lù 264 Hào uò Zōu Zhàn (Yóuzhèng Biānmǎ：869725). Liánxì Diànhuà：82391940. Diànzǐ Yóuxiāng：gtqwn@qvbtpofe.chr.cn

Qiang Chang Diao, Shuozhou Railway Station, 264 Shi Cheng Road, Ying County, Shuozhou, Shanxi. Postal Code: 869725. Phone Number：82391940. E-mail：gtqwn@qvbtpofe.chr.cn

454。姓名: 桂源尚

住址（机场）：山西省运城市夏县毅骥路 837 号运城龙谢国际机场（邮政编码：934694）。联系电话：41008045。电子邮箱：flate@tycfmzqh.airports.cn

Zhù zhǐ: Guì Yuán Shàng Shānxī Shěng Yùn Chéng Shì Xià Xiàn Yì Jì Lù 837 Hào Yùn Céng Lóng Xiè Guó Jì Jī Chǎng (Yóuzhèng Biānmǎ：934694). Liánxì Diànhuà：41008045. Diànzǐ Yóuxiāng：flate@tycfmzqh.airports.cn

Yuan Shang Gui, Yuncheng Long Xie International Airport, 837 Yi Ji Road, Xia County, Yuncheng, Shanxi. Postal Code: 934694. Phone Number：41008045. E-mail：flate@tycfmzqh.airports.cn

455。姓名: 曹克乐

住址（湖泊）：山西省太原市迎泽区源宽路 507 号科葆湖（邮政编码：133824）。联系电话：22574951。电子邮箱：sxglo@beqigpvz.lakes.cn

Zhù zhǐ: Cáo Kè Lè Shānxī Shěng Tàiyuán Shì Yíng Zé Qū Yuán Kuān Lù 507 Hào Kē Bǎo Hú (Yóuzhèng Biānmǎ：133824). Liánxì Diànhuà：22574951. Diànzǐ Yóuxiāng：sxglo@beqigpvz.lakes.cn

Ke Le Cao, Ke Bao Lake, 507 Yuan Kuan Road, Yingze District, Taiyuan, Shanxi. Postal Code: 133824. Phone Number：22574951. E-mail：sxglo@beqigpvz.lakes.cn

456。姓名: 欧人顺

住址（机场）：山西省运城市垣曲县院庆路 412 号运城秀渊国际机场（邮政编码：702173）。联系电话：43793511。电子邮箱：dqrma@grhfkpdo.airports.cn

Zhù zhǐ: Ōu Rén Shùn Shānxī Shěng Yùn Chéng Shì Yuán Qū Xiàn Yuàn Qìng Lù 412 Hào Yùn Céng Xiù Yuān Guó Jì Jī Chǎng (Yóuzhèng Biānmǎ：702173). Liánxì Diànhuà：43793511. Diànzǐ Yóuxiāng：dqrma@grhfkpdo.airports.cn

Ren Shun Ou, Yuncheng Xiu Yuan International Airport, 412 Yuan Qing Road, Yuanqu County, Yuncheng, Shanxi. Postal Code: 702173. Phone Number：43793511. E-mail：dqrma@grhfkpdo.airports.cn

457。姓名: 弓盛继

住址（公司）：山西省朔州市朔城区冕锡路 603 号奎风有限公司（邮政编码：116233）。联系电话：46444874。电子邮箱：okgra@dsotcbak.biz.cn

Zhù zhǐ: Gōng Chéng Jì Shānxī Shěng Shuò Zhōu Shì Shuò Chéngqū Miǎn Xī Lù 603 Hào Kuí Fēng Yǒuxiàn Gōngsī (Yóuzhèng Biānmǎ：116233). Liánxì Diànhuà：46444874. Diànzǐ Yóuxiāng：okgra@dsotcbak.biz.cn

Cheng Ji Gong, Kui Feng Corporation, 603 Mian Xi Road, Shuocheng District, Shuozhou, Shanxi. Postal Code: 116233. Phone Number：46444874. E-mail：okgra@dsotcbak.biz.cn

458。姓名: 鞠乙仓

住址（博物院）：山西省吕梁市汾阳市昌红路 668 号吕梁博物馆（邮政编码：835867）。联系电话：35651305。电子邮箱：sezyu@mdhuabsf.museums.cn

Zhù zhǐ: Jū Yǐ Cāng Shānxī Shěng Lǚliáng Shì Fén Yáng Shì Chāng Hóng Lù 668 Hào Lǚliáng Bó Wù Guǎn (Yóuzhèng Biānmǎ：835867). Liánxì Diànhuà：35651305. Diànzǐ Yóuxiāng：sezyu@mdhuabsf.museums.cn

Yi Cang Ju, Luliang Museum, 668 Chang Hong Road, Fenyang City, Luliang, Shanxi. Postal Code: 835867. Phone Number：35651305. E-mail：sezyu@mdhuabsf.museums.cn

459。姓名: 汪先昌

住址（公共汽车站）：山西省大同市云冈区禹食路 208 号寰葆站（邮政编码：683816）。联系电话：89469973。电子邮箱：ixnvt@ofqibzry.transport.cn

Zhù zhǐ: Wāng Xiān Chāng Shānxī Shěng Dàtóng Shì Yún Gāng Qū Yǔ Yì Lù 208 Hào Huán Bǎo Zhàn (Yóuzhèng Biānmǎ：683816). Liánxì Diànhuà：89469973. Diànzǐ Yóuxiāng：ixnvt@ofqibzry.transport.cn

Xian Chang Wang, Huan Bao Bus Station, 208 Yu Yi Road, Yungang District, Datong, Shanxi. Postal Code: 683816. Phone Number：89469973. E-mail：ixnvt@ofqibzry.transport.cn

460。姓名: 蒯绅发

住址（公共汽车站）：山西省晋中市榆次区稼坚路 353 号征骥站（邮政编码：789719）。联系电话：29820723。电子邮箱：mjnzl@xkptymuc.transport.cn

Zhù zhǐ: Kuǎi Shēn Fā Shānxī Shěng Jìn Zhōng Shì Yú Cì Qū Jià Jiān Lù 353 Hào Zhēng Jì Zhàn (Yóuzhèng Biānmǎ：789719). Liánxì Diànhuà：29820723. Diànzǐ Yóuxiāng：mjnzl@xkptymuc.transport.cn

Shen Fa Kuai, Zheng Ji Bus Station, 353 Jia Jian Road, Yuci District, Jinzhong, Shanxi. Postal Code: 789719. Phone Number：29820723. E-mail：mjnzl@xkptymuc.transport.cn

461。姓名: 松铁水

住址（广场）：山西省太原市清徐县阳王路 756 号坚九广场（邮政编码：551770）。联系电话：46829041。电子邮箱：itezu@wfqnrhkc.squares.cn

Zhù zhǐ: Sōng Fū Shuǐ Shānxī Shěng Tàiyuán Shì Qīng Xú Xiàn Yáng Wàng Lù 756 Hào Jiān Jiǔ Guǎng Chǎng (Yóuzhèng Biānmǎ：551770). Liánxì Diànhuà：46829041. Diànzǐ Yóuxiāng：itezu@wfqnrhkc.squares.cn

Fu Shui Song, Jian Jiu Square, 756 Yang Wang Road, Qingxu County, Taiyuan, Shanxi. Postal Code: 551770. Phone Number：46829041. E-mail：itezu@wfqnrhkc.squares.cn

462。姓名: 滕晖跃

住址（公司）：山西省太原市尖草坪区惟祥路 959 号仓院有限公司（邮政编码：672690）。联系电话：58508385。电子邮箱：oyxjm@pnusxcjd.biz.cn

Zhù zhǐ: Téng Huī Yuè Shānxī Shěng Tàiyuán Shì Jiān Cǎopíng Qū Wéi Xiáng Lù 959 Hào Cāng Yuàn Yǒuxiàn Gōngsī (Yóuzhèng Biānmǎ：672690). Liánxì Diànhuà：58508385. Diànzǐ Yóuxiāng：oyxjm@pnusxcjd.biz.cn

Hui Yue Teng, Cang Yuan Corporation, 959 Wei Xiang Road, Jiancaoping District, Taiyuan, Shanxi. Postal Code: 672690. Phone Number：58508385. E-mail：oyxjm@pnusxcjd.biz.cn

463。姓名: 郝院风

住址（家庭）：山西省阳泉市盂县人锤路 265 号威禹公寓 12 层 557 室（邮政编码：173013）。联系电话：55668789。电子邮箱：qwnps@vfhnsqwe.cn

Zhù zhǐ: Hǎo Yuàn Fēng Shānxī Shěng Yángquán Shì Yú Xiàn Rén Chuí Lù 265 Hào Wēi Yǔ Gōng Yù 12 Céng 557 Shì (Yóuzhèng Biānmǎ：173013). Liánxì Diànhuà：55668789. Diànzǐ Yóuxiāng：qwnps@vfhnsqwe.cn

Yuan Feng Hao, Room# 557, Floor# 12, Wei Yu Apartment, 265 Ren Chui Road, Yu County, Yangquan, Shanxi. Postal Code: 173013. Phone Number：55668789. E-mail：qwnps@vfhnsqwe.cn

464。姓名: 高晗波

住址（博物院）：山西省大同市天镇县先锡路 778 号大同博物馆（邮政编码：882265）。联系电话：96282482。电子邮箱：iurkb@roxtadqg.museums.cn

Zhù zhǐ: Gāo Hán Bō Shānxī Shěng Dàtóng Shì Tiān Zhèn Xiàn Xiān Xī Lù 778 Hào Dàtóng Bó Wù Guǎn (Yóuzhèng Biānmǎ：882265). Liánxì Diànhuà：96282482. Diànzǐ Yóuxiāng：iurkb@roxtadqg.museums.cn

Han Bo Gao, Datong Museum, 778 Xian Xi Road, Tianzhen County, Datong, Shanxi. Postal Code: 882265. Phone Number：96282482. E-mail：iurkb@roxtadqg.museums.cn

465。姓名: 储白科

住址（酒店）：山西省吕梁市交城县亮惟路 543 号红翰酒店（邮政编码：595654）。联系电话：64273691。电子邮箱：wsanq@foqnexim.biz.cn

Zhù zhǐ: Chǔ Bái Kē Shānxī Shěng Lǚliáng Shì Jiāo Chéng Xiàn Liàng Wéi Lù 543 Hào Hóng Hàn Jiǔ Diàn（Yóuzhèng Biānmǎ：595654). Liánxì Diànhuà：64273691. Diànzǐ Yóuxiāng：wsanq@foqnexim.biz.cn

Bai Ke Chu, Hong Han Hotel, 543 Liang Wei Road, Jiaocheng County, Luliang, Shanxi. Postal Code: 595654. Phone Number：64273691. E-mail：wsanq@foqnexim.biz.cn

466。姓名: 麻中坚

住址（机场）：山西省朔州市应县自己路 281 号朔州铁土国际机场（邮政编码：958694）。联系电话：69285209。电子邮箱：sjpaq@yzfdbpkt.airports.cn

Zhù zhǐ: Má Zhòng Jiān Shānxī Shěng Shuò Zhōu Shì Yìng Xiàn Zì Jǐ Lù 281 Hào uò Zōu Tiě Tǔ Guó Jì Jī Chǎng（Yóuzhèng Biānmǎ：958694). Liánxì Diànhuà：69285209. Diànzǐ Yóuxiāng：sjpaq@yzfdbpkt.airports.cn

Zhong Jian Ma, Shuozhou Tie Tu International Airport, 281 Zi Ji Road, Ying County, Shuozhou, Shanxi. Postal Code: 958694. Phone Number：69285209. E-mail：sjpaq@yzfdbpkt.airports.cn

467。姓名: 赏沛珂

住址（广场）：山西省朔州市右玉县嘉土路 356 号浩铭广场（邮政编码：615584）。联系电话：86798391。电子邮箱：jahlp@igvjqbku.squares.cn

Zhù zhǐ: Shǎng Bèi Kē Shānxī Shěng Shuò Zhōu Shì Yòu Yù Xiàn Jiā Tǔ Lù 356 Hào Hào Míng Guǎng Chǎng（Yóuzhèng Biānmǎ：615584). Liánxì Diànhuà：86798391. Diànzǐ Yóuxiāng：jahlp@igvjqbku.squares.cn

Bei Ke Shang, Hao Ming Square, 356 Jia Tu Road, Youyu County, Shuozhou, Shanxi. Postal Code: 615584. Phone Number：86798391. E-mail：jahlp@igvjqbku.squares.cn

468。姓名: 厍继浩

住址（公共汽车站）：山西省大同市平城区波屹路 201 号可金站（邮政编码：557377）。联系电话：79760376。电子邮箱：airwj@vondkhrf.transport.cn

Zhù zhǐ: Shè Jì Hào Shānxī Shěng Dàtóng Shì Píng Chéng Qū Bō Yì Lù 201 Hào Kě Jīn Zhàn（Yóuzhèng Biānmǎ：557377). Liánxì Diànhuà：79760376. Diànzǐ Yóuxiāng：airwj@vondkhrf.transport.cn

Ji Hao She, Ke Jin Bus Station, 201 Bo Yi Road, Pingcheng District, Datong, Shanxi. Postal Code: 557377. Phone Number：79760376. E-mail：airwj@vondkhrf.transport.cn

469。姓名: 娄钊队

住址（公司）：山西省朔州市平鲁区盛伦路 711 号食嘉有限公司（邮政编码：222019）。联系电话：25846825。电子邮箱：kedyw@dunspemi.biz.cn

Zhù zhǐ: Lóu Zhāo Duì Shānxī Shěng Shuò Zhōu Shì Píng Lǔ Qū Chéng Lún Lù 711 Hào Yì Jiā Yǒuxiàn Gōngsī（Yóuzhèng Biānmǎ：222019). Liánxì Diànhuà：25846825. Diànzǐ Yóuxiāng：kedyw@dunspemi.biz.cn

Zhao Dui Lou, Yi Jia Corporation, 711 Cheng Lun Road, Pinglu District, Shuozhou, Shanxi. Postal Code: 222019. Phone Number：25846825. E-mail：kedyw@dunspemi.biz.cn

470。姓名: 郭源珂

住址（机场）：山西省晋中市太谷区振译路 915 号晋中可舟国际机场（邮政编码：835254）。联系电话：57433778。电子邮箱：jwcdy@ehmjipnq.airports.cn

Zhù zhǐ: Guō Yuán Kē Shānxī Shěng Jìn Zhōng Shì Tài Gǔ Qū Zhèn Yì Lù 915 Hào Jn Zōng Kě Zhōu Guó Jì Jī Chǎng (Yóuzhèng Biānmǎ：835254). Liánxì Diànhuà：57433778. Diànzǐ Yóuxiāng：jwcdy@ehmjipnq.airports.cn

Yuan Ke Guo, Jinzhong Ke Zhou International Airport, 915 Zhen Yi Road, Taigu District, Jinzhong, Shanxi. Postal Code: 835254. Phone Number：57433778. E-mail：jwcdy@ehmjipnq.airports.cn

471。姓名: 胡焯澜

住址（博物院）：山西省临汾市霍州市盛祥路 565 号临汾博物馆（邮政编码：211868）。联系电话：62707352。电子邮箱：uezcs@rznhpbiu.museums.cn

Zhù zhǐ: Hú Zhuō Lán Shānxī Shěng Línfén Shì Huò Zhōu Shì Chéng Xiáng Lù 565 Hào Línfén Bó Wù Guǎn (Yóuzhèng Biānmǎ：211868). Liánxì Diànhuà：62707352. Diànzǐ Yóuxiāng：uezcs@rznhpbiu.museums.cn

Zhuo Lan Hu, Linfen Museum, 565 Cheng Xiang Road, Huozhou, Linfen, Shanxi. Postal Code: 211868. Phone Number：62707352. E-mail：uezcs@rznhpbiu.museums.cn

472。姓名: 饶可柱

住址（湖泊）：山西省临汾市永和县龙斌路 867 号坡辙湖（邮政编码：436552）。联系电话：36552100。电子邮箱：wxjlu@znkyefal.lakes.cn

Zhù zhǐ: Ráo Kě Zhù Shānxī Shěng Línfén Shì Yǒnghé Xiàn Lóng Bīn Lù 867 Hào Pō Zhé Hú (Yóuzhèng Biānmǎ：436552). Liánxì Diànhuà：36552100. Diànzǐ Yóuxiāng：wxjlu@znkyefal.lakes.cn

Ke Zhu Rao, Po Zhe Lake, 867 Long Bin Road, Yonghe County, Linfen, Shanxi.
Postal Code: 436552. Phone Number：36552100. E-mail：
wxjlu@znkyefal.lakes.cn

473。姓名: 容友骥

住址（机场）：山西省忻州市河曲县愈寰路 289 号忻州可锤国际机场（邮政
编码：207058）。联系电话：51843794。电子邮箱：
hatqd@vouxidlr.airports.cn

Zhù zhǐ: Róng Yǒu Jì Shānxī Shěng Xīnzhōu Shì Héqū Xiàn Yù Huán Lù 289 Hào
Xīnzōu Kě Chuí Guó Jì Jī Chǎng（Yóuzhèng Biānmǎ：207058). Liánxì Diànhuà：
51843794. Diànzǐ Yóuxiāng：hatqd@vouxidlr.airports.cn

You Ji Rong, Xinzhou Ke Chui International Airport, 289 Yu Huan Road, Hequ
County, Xinzhou, Shanxi. Postal Code: 207058. Phone Number：51843794. E-mail：
hatqd@vouxidlr.airports.cn

474。姓名: 谢光豪

住址（公园）：山西省运城市平陆县振稼路 724 号舟葆公园（邮政编码：
986139）。联系电话：30840185。电子邮箱：txhqj@spjfolra.parks.cn

Zhù zhǐ: Xiè Guāng Háo Shānxī Shěng Yùn Chéng Shì Píng Lù Xiàn Zhèn Jià Lù 724
Hào Zhōu Bǎo Gōng Yuán（Yóuzhèng Biānmǎ：986139). Liánxì Diànhuà：
30840185. Diànzǐ Yóuxiāng：txhqj@spjfolra.parks.cn

Guang Hao Xie, Zhou Bao Park, 724 Zhen Jia Road, Pinglu County, Yuncheng,
Shanxi. Postal Code: 986139. Phone Number：30840185. E-mail：
txhqj@spjfolra.parks.cn

475。姓名: 利九斌

住址（寺庙）：山西省阳泉市郊区楚员路 247 号禹寰寺（邮政编码：
525091）。联系电话：39882779。电子邮箱：zeodc@vrkmxabn.god.cn

Zhù zhǐ: Lì Jiǔ Bīn Shānxī Shěng Yángquán Shì Jiāoqū Chǔ Yuán Lù 247 Hào Yǔ Huán Sì（Yóuzhèng Biānmǎ：525091). Liánxì Diànhuà：39882779. Diànzǐ Yóuxiāng：zeodc@vrkmxabn.god.cn

Jiu Bin Li, Yu Huan Temple, 247 Chu Yuan Road, Jiao District, Yangquan, Shanxi. Postal Code: 525091. Phone Number：39882779. E-mail：zeodc@vrkmxabn.god.cn

476。姓名: 海化淹

住址（博物院）：山西省长治市沁县自惟路 257 号长治博物馆（邮政编码：883868）。联系电话：81828546。电子邮箱：sbgum@zploadvf.museums.cn

Zhù zhǐ: Hǎi Huā Yān Shānxī Shěng Chángzhì Shì Qìn Xiàn Zì Wéi Lù 257 Hào Cángz Bó Wù Guǎn（Yóuzhèng Biānmǎ：883868). Liánxì Diànhuà：81828546. Diànzǐ Yóuxiāng：sbgum@zploadvf.museums.cn

Hua Yan Hai, Changzhi Museum, 257 Zi Wei Road, Qin County, Changzhi, Shanxi. Postal Code: 883868. Phone Number：81828546. E-mail：sbgum@zploadvf.museums.cn

477。姓名: 荀涛中

住址（湖泊）：山西省晋中市昔阳县陶水路 948 号圣勇湖（邮政编码：430482）。联系电话：28981636。电子邮箱：ryzmx@hxzoyrsk.lakes.cn

Zhù zhǐ: Xún Tāo Zhòng Shānxī Shěng Jìn Zhōng Shì Xī Yáng Xiàn Táo Shuǐ Lù 948 Hào Shèng Yǒng Hú（Yóuzhèng Biānmǎ：430482). Liánxì Diànhuà：28981636. Diànzǐ Yóuxiāng：ryzmx@hxzoyrsk.lakes.cn

Tao Zhong Xun, Sheng Yong Lake, 948 Tao Shui Road, Xiyang County, Jinzhong, Shanxi. Postal Code: 430482. Phone Number：28981636. E-mail：ryzmx@hxzoyrsk.lakes.cn

478。姓名: 史隆陶

住址（广场）：山西省运城市垣曲县勇陆路 414 号大磊广场（邮政编码：644396）。联系电话：98987562。电子邮箱：idlts@cbygwsrt.squares.cn

Zhù zhǐ: Shǐ Lóng Táo Shānxī Shěng Yùn Chéng Shì Yuán Qū Xiàn Yǒng Lù Lù 414 Hào Dài Lěi Guǎng Chǎng（Yóuzhèng Biānmǎ：644396). Liánxì Diànhuà：98987562. Diànzǐ Yóuxiāng：idlts@cbygwsrt.squares.cn

Long Tao Shi, Dai Lei Square, 414 Yong Lu Road, Yuanqu County, Yuncheng, Shanxi. Postal Code: 644396. Phone Number：98987562. E-mail：idlts@cbygwsrt.squares.cn

479。姓名: 祁大游

住址（火车站）：山西省阳泉市盂县渊翰路 842 号阳泉站（邮政编码：523357）。联系电话：80217408。电子邮箱：plvqb@sqxngoca.chr.cn

Zhù zhǐ: Qí Dài Yóu Shānxī Shěng Yángquán Shì Yú Xiàn Yuān Hàn Lù 842 Hào Yángquán Zhàn（Yóuzhèng Biānmǎ：523357). Liánxì Diànhuà：80217408. Diànzǐ Yóuxiāng：plvqb@sqxngoca.chr.cn

Dai You Qi, Yangquan Railway Station, 842 Yuan Han Road, Yu County, Yangquan, Shanxi. Postal Code: 523357. Phone Number：80217408. E-mail：plvqb@sqxngoca.chr.cn

480。姓名: 贺龙坡

住址（医院）：山西省忻州市岢岚县鹤九路 908 号冕腾医院（邮政编码：575274）。联系电话：66003037。电子邮箱：sjota@hbrvsyfk.health.cn

Zhù zhǐ: Hè Lóng Pō Shānxī Shěng Xīnzhōu Shì Kě Lán Xiàn Hè Jiǔ Lù 908 Hào Miǎn Téng Yī Yuàn（Yóuzhèng Biānmǎ：575274). Liánxì Diànhuà：66003037. Diànzǐ Yóuxiāng：sjota@hbrvsyfk.health.cn

Long Po He, Mian Teng Hospital, 908 He Jiu Road, Kelan County, Xinzhou, Shanxi. Postal Code: 575274. Phone Number：66003037. E-mail：sjota@hbrvsyfk.health.cn

CHAPTER 2: NAME, SURNAME & ADDRESSES (31-60)

481。姓名: 伏友仓

住址（公司）：山西省大同市平城区翰陆路 881 号游人有限公司（邮政编码：794518）。联系电话：81612005。电子邮箱：jsbkx@rvjnolmd.biz.cn

Zhù zhǐ: Fú Yǒu Cāng Shānxī Shěng Dàtóng Shì Píng Chéng Qū Hàn Liù Lù 881 Hào Yóu Rén Yǒuxiàn Gōngsī (Yóuzhèng Biānmǎ：794518). Liánxì Diànhuà：81612005. Diànzǐ Yóuxiāng：jsbkx@rvjnolmd.biz.cn

You Cang Fu, You Ren Corporation, 881 Han Liu Road, Pingcheng District, Datong, Shanxi. Postal Code: 794518. Phone Number：81612005. E-mail：jsbkx@rvjnolmd.biz.cn

482。姓名: 方其红

住址（湖泊）：山西省忻州市偏关县恩星路 953 号兆红湖（邮政编码：184528）。联系电话：76190402。电子邮箱：nzkpu@fcnbveol.lakes.cn

Zhù zhǐ: Fāng Qí Hóng Shānxī Shěng Xīnzhōu Shì Piān Guan Xiàn Ēn Xīng Lù 953 Hào Zhào Hóng Hú (Yóuzhèng Biānmǎ：184528). Liánxì Diànhuà：76190402. Diànzǐ Yóuxiāng：nzkpu@fcnbveol.lakes.cn

Qi Hong Fang, Zhao Hong Lake, 953 En Xing Road, Pianguan County, Xinzhou, Shanxi. Postal Code: 184528. Phone Number：76190402. E-mail：nzkpu@fcnbveol.lakes.cn

483。姓名: 巴盛陆

住址（家庭）：山西省晋城市城区沛学路 203 号圣福公寓 18 层 312 室（邮政编码：258597）。联系电话：86891755。电子邮箱：iydjk@imfcgsej.cn

Zhù zhǐ: Bā Shèng Lù Shānxī Shěng Jìnchéng Shì Chéngqū Pèi Xué Lù 203 Hào Shèng Fú Gōng Yù 18 Céng 312 Shì (Yóuzhèng Biānmǎ：258597). Liánxì Diànhuà：86891755. Diànzǐ Yóuxiāng：iydjk@imfcgsej.cn

Sheng Lu Ba, Room# 312, Floor# 18, Sheng Fu Apartment, 203 Pei Xue Road, Urban Area, Jincheng, Shanxi. Postal Code: 258597. Phone Number：86891755. E-mail：iydjk@imfcgsej.cn

484。姓名: 喻化威

住址（大学）：山西省吕梁市中阳县兆阳大学昌院路 979 号（邮政编码: 648815）。联系电话：30753531。电子邮箱：kvelm@vbfoypjr.edu.cn

Zhù zhǐ: Yù Huā Wēi Shānxī Shěng Lǚliáng Shì Zhōng Yáng Xiàn Zhào Yáng DàxuéChāng Yuàn Lù 979 Hào （Yóuzhèng Biānmǎ：648815). Liánxì Diànhuà：30753531. Diànzǐ Yóuxiāng：kvelm@vbfoypjr.edu.cn

Hua Wei Yu, Zhao Yang University, 979 Chang Yuan Road, Zhongyang County, Luliang, Shanxi. Postal Code: 648815. Phone Number：30753531. E-mail：kvelm@vbfoypjr.edu.cn

485。姓名: 雍翼超

住址（家庭）：山西省朔州市右玉县盛中路 792 号秀斌公寓 37 层 377 室（邮政编码：971448）。联系电话：55600296。电子邮箱：vkfwm@lpbfkqgd.cn

Zhù zhǐ: Yōng Yì Chāo Shānxī Shěng Shuò Zhōu Shì Yòu Yù Xiàn Chéng Zhōng Lù 792 Hào Xiù Bīn Gōng Yù 37 Céng 377 Shì (Yóuzhèng Biānmǎ：971448). Liánxì Diànhuà：55600296. Diànzǐ Yóuxiāng：vkfwm@lpbfkqgd.cn

Yi Chao Yong, Room# 377, Floor# 37, Xiu Bin Apartment, 792 Cheng Zhong Road, Youyu County, Shuozhou, Shanxi. Postal Code: 971448. Phone Number：55600296. E-mail：vkfwm@lpbfkqgd.cn

486。姓名: 厉克波

住址（大学）：山西省晋城市沁水县浩自大学九楚路 232 号（邮政编码：684467）。联系电话：86724955。电子邮箱：ocevj@moztlane.edu.cn

Zhù zhǐ: Lì Kè Bō Shānxī Shěng Jìnchéng Shì Qìn Shuǐ Xiàn Hào Zì DàxuéJiǔ Chǔ Lù 232 Hào (Yóuzhèng Biānmǎ: 684467). Liánxì Diànhuà: 86724955. Diànzǐ Yóuxiāng: ocevj@moztlane.edu.cn

Ke Bo Li, Hao Zi University, 232 Jiu Chu Road, Qinshui County, Jincheng, Shanxi. Postal Code: 684467. Phone Number: 86724955. E-mail: ocevj@moztlane.edu.cn

487。姓名: 暴斌钊

住址（公园）：山西省大同市阳高县强沛路 115 号山仲公园（邮政编码：964627）。联系电话：65776025。电子邮箱: pdgfw@fihmcgrs.parks.cn

Zhù zhǐ: Bào Bīn Zhāo Shānxī Shěng Dàtóng Shì Yáng gāo xiàn Qiǎng Pèi Lù 115 Hào Shān Zhòng Gōng Yuán (Yóuzhèng Biānmǎ: 964627). Liánxì Diànhuà: 65776025. Diànzǐ Yóuxiāng: pdgfw@fihmcgrs.parks.cn

Bin Zhao Bao, Shan Zhong Park, 115 Qiang Pei Road, Yanggao County, Datong, Shanxi. Postal Code: 964627. Phone Number: 65776025. E-mail: pdgfw@fihmcgrs.parks.cn

488。姓名: 封锡庆

住址（大学）：山西省大同市天镇县龙稼大学铁澜路 304 号（邮政编码：726535）。联系电话：85214430。电子邮箱: pkqft@lghptsnw.edu.cn

Zhù zhǐ: Fēng Xī Qìng Shānxī Shěng Dàtóng Shì Tiān Zhèn Xiàn Lóng Jià DàxuéTiě Lán Lù 304 Hào (Yóuzhèng Biānmǎ: 726535). Liánxì Diànhuà: 85214430. Diànzǐ Yóuxiāng: pkqft@lghptsnw.edu.cn

Xi Qing Feng, Long Jia University, 304 Tie Lan Road, Tianzhen County, Datong, Shanxi. Postal Code: 726535. Phone Number: 85214430. E-mail: pkqft@lghptsnw.edu.cn

489。姓名: 关涛德

住址（大学）：山西省临汾市洪洞县伦愈大学懂员路 134 号（邮政编码：918387）。联系电话：45278306。电子邮箱：irpvd@fylkodei.edu.cn

Zhù zhǐ: Guān Tāo Dé Shānxī Shěng Línfén Shì Hóng Dòng Xiàn Lún Yù DàxuéDǒng Yún Lù 134 Hào（Yóuzhèng Biānmǎ：918387). Liánxì Diànhuà：45278306. Diànzǐ Yóuxiāng：irpvd@fylkodei.edu.cn

Tao De Guan, Lun Yu University, 134 Dong Yun Road, Hongdong County, Linfen, Shanxi. Postal Code: 918387. Phone Number：45278306. E-mail：irpvd@fylkodei.edu.cn

490。姓名: 平隆译

住址（公共汽车站）：山西省阳泉市平定县成珂路 495 号辉俊站（邮政编码：501981）。联系电话：54221990。电子邮箱：dhvuf@eivcnjxl.transport.cn

Zhù zhǐ: Píng Lóng Yì Shānxī Shěng Yángquán Shì Píngdìng Xiàn Chéng Kē Lù 495 Hào Huī Jùn Zhàn（Yóuzhèng Biānmǎ：501981). Liánxì Diànhuà：54221990. Diànzǐ Yóuxiāng：dhvuf@eivcnjxl.transport.cn

Long Yi Ping, Hui Jun Bus Station, 495 Cheng Ke Road, Pingding County, Yangquan, Shanxi. Postal Code: 501981. Phone Number：54221990. E-mail：dhvuf@eivcnjxl.transport.cn

491。姓名: 全国宽

住址（湖泊）：山西省吕梁市孝义市岐俊路 888 号九珂湖（邮政编码：315764）。联系电话：38968689。电子邮箱：cpmfe@msktolcx.lakes.cn

Zhù zhǐ: Quán Guó Kuān Shānxī Shěng Lǚliáng Shì Xiào Yì Shì Qí Jùn Lù 888 Hào Jiǔ Kē Hú（Yóuzhèng Biānmǎ：315764). Liánxì Diànhuà：38968689. Diànzǐ Yóuxiāng：cpmfe@msktolcx.lakes.cn

Guo Kuan Quan, Jiu Ke Lake, 888 Qi Jun Road, Xiaoyi City, Luliang, Shanxi. Postal Code: 315764. Phone Number：38968689. E-mail：cpmfe@msktolcx.lakes.cn

492。姓名: 纪宝九

住址（公司）：山西省太原市万柏林区珂辙路 250 号毅沛有限公司（邮政编码：652142）。联系电话：23142739。电子邮箱：nzbpm@dwbstkgv.biz.cn

Zhù zhǐ: Jì Bǎo Jiǔ Shānxī Shěng Tàiyuán Shì Wàn Bólín Qū Kē Zhé Lù 250 Hào Yì Bèi Yǒuxiàn Gōngsī (Yóuzhèng Biānmǎ：652142). Liánxì Diànhuà：23142739. Diànzǐ Yóuxiāng：nzbpm@dwbstkgv.biz.cn

Bao Jiu Ji, Yi Bei Corporation, 250 Ke Zhe Road, Wan Bolin District, Taiyuan, Shanxi. Postal Code: 652142. Phone Number：23142739. E-mail：nzbpm@dwbstkgv.biz.cn

493。姓名: 浦先兆

住址（火车站）：山西省吕梁市方山县跃彬路 128 号吕梁站（邮政编码：805122）。联系电话：83168717。电子邮箱：wgpra@bgczlsex.chr.cn

Zhù zhǐ: Pǔ Xiān Zhào Shānxī Shěng Lǚliáng Shì Fāng Shān Xiàn Yuè Bīn Lù 128 Hào Lǚliáng Zhàn (Yóuzhèng Biānmǎ：805122). Liánxì Diànhuà：83168717. Diànzǐ Yóuxiāng：wgpra@bgczlsex.chr.cn

Xian Zhao Pu, Luliang Railway Station, 128 Yue Bin Road, Fangshan County, Luliang, Shanxi. Postal Code: 805122. Phone Number：83168717. E-mail：wgpra@bgczlsex.chr.cn

494。姓名: 简翼泽

住址（广场）：山西省晋城市城区福轼路 996 号星守广场（邮政编码：510386）。联系电话：79860034。电子邮箱：bvylh@ptiunkwr.squares.cn

Zhù zhǐ: Jiǎn Yì Zé Shānxī Shěng Jìnchéng Shì Chéngqū Fú Shì Lù 996 Hào Xīng Shǒu Guǎng Chǎng (Yóuzhèng Biānmǎ：510386). Liánxì Diànhuà：79860034. Diànzǐ Yóuxiāng：bvylh@ptiunkwr.squares.cn

Yi Ze Jian, Xing Shou Square, 996 Fu Shi Road, Urban Area, Jincheng, Shanxi. Postal Code: 510386. Phone Number：79860034. E-mail：bvylh@ptiunkwr.squares.cn

495。姓名: 傅兵九

住址（寺庙）：山西省晋城市沁水县冠钢路 377 号进勇寺（邮政编码：147141）。联系电话：50444255。电子邮箱：cxiaz@opaqrgbc.god.cn

Zhù zhǐ: Fù Bīng Jiǔ Shānxī Shěng Jìnchéng Shì Qìn Shuǐ Xiàn Guàn Gāng Lù 377 Hào Jìn Yǒng Sì (Yóuzhèng Biānmǎ：147141). Liánxì Diànhuà：50444255. Diànzǐ Yóuxiāng：cxiaz@opaqrgbc.god.cn

Bing Jiu Fu, Jin Yong Temple, 377 Guan Gang Road, Qinshui County, Jincheng, Shanxi. Postal Code: 147141. Phone Number：50444255. E-mail：cxiaz@opaqrgbc.god.cn

496。姓名: 简民轼

住址（公园）：山西省大同市阳高县迅波路 542 号民石公园（邮政编码：723263）。联系电话：21204196。电子邮箱：zxvgu@rcpkmswz.parks.cn

Zhù zhǐ: Jiǎn Mín Shì Shānxī Shěng Dàtóng Shì Yáng gāo xiàn Xùn Bō Lù 542 Hào Mín Dàn Gōng Yuán (Yóuzhèng Biānmǎ：723263). Liánxì Diànhuà：21204196. Diànzǐ Yóuxiāng：zxvgu@rcpkmswz.parks.cn

Min Shi Jian, Min Dan Park, 542 Xun Bo Road, Yanggao County, Datong, Shanxi. Postal Code: 723263. Phone Number：21204196. E-mail：zxvgu@rcpkmswz.parks.cn

497。姓名: 茹食沛

住址（寺庙）：山西省晋中市和顺县伦来路 317 号咚钊寺（邮政编码：190434）。联系电话：96974078。电子邮箱：zvorg@tyjxadqg.god.cn

Zhù zhǐ: Rú Yì Pèi Shānxī Shěng Jìn Zhōng Shì Héshùn Xiàn Lún Lái Lù 317 Hào Dōng Zhāo Sì (Yóuzhèng Biānmǎ: 190434). Liánxì Diànhuà: 96974078. Diànzǐ Yóuxiāng: zvorg@tyjxadqg.god.cn

Yi Pei Ru, Dong Zhao Temple, 317 Lun Lai Road, Heshun County, Jinzhong, Shanxi. Postal Code: 190434. Phone Number: 96974078. E-mail: zvorg@tyjxadqg.god.cn

498。姓名: 东方铁庆

住址（湖泊）：山西省吕梁市汾阳市队帆路 293 号金屹湖（邮政编码：181543）。联系电话：17045289。电子邮箱：mozea@jdmfoans.lakes.cn

Zhù zhǐ: Dōngfāng Fū Qìng Shānxī Shěng Lǚliáng Shì Fén Yáng Shì Duì Fān Lù 293 Hào Jīn Yì Hú (Yóuzhèng Biānmǎ: 181543). Liánxì Diànhuà: 17045289. Diànzǐ Yóuxiāng: mozea@jdmfoans.lakes.cn

Fu Qing Dongfang, Jin Yi Lake, 293 Dui Fan Road, Fenyang City, Luliang, Shanxi. Postal Code: 181543. Phone Number: 17045289. E-mail: mozea@jdmfoans.lakes.cn

499。姓名: 郑可先

住址（公共汽车站）：山西省太原市小店区宝冠路 319 号泽愈站（邮政编码：666318）。联系电话：22266744。电子邮箱：rnjsk@dpirhcwy.transport.cn

Zhù zhǐ: Zhèng Kě Xiān Shānxī Shěng Tàiyuán Shì Xiǎo Diàn Qū Bǎo Guàn Lù 319 Hào Zé Yù Zhàn (Yóuzhèng Biānmǎ: 666318). Liánxì Diànhuà: 22266744. Diànzǐ Yóuxiāng: rnjsk@dpirhcwy.transport.cn

Ke Xian Zheng, Ze Yu Bus Station, 319 Bao Guan Road, Shop Area, Taiyuan, Shanxi. Postal Code: 666318. Phone Number: 22266744. E-mail: rnjsk@dpirhcwy.transport.cn

500。姓名: 浦圣轼

住址（家庭）：山西省吕梁市方山县立昌路 592 号亮郁公寓 44 层 611 室（邮政编码：714029）。联系电话：68403938。电子邮箱：owyvz@dvlgpicn.cn

Zhù zhǐ: Pǔ Shèng Shì Shānxī Shěng Lǚliáng Shì Fāng Shān Xiàn Lì Chāng Lù 592 Hào Liàng Yù Gōng Yù 44 Céng 611 Shì (Yóuzhèng Biānmǎ：714029). Liánxì Diànhuà：68403938. Diànzǐ Yóuxiāng：owyvz@dvlgpicn.cn

Sheng Shi Pu, Room# 611, Floor# 44, Liang Yu Apartment, 592 Li Chang Road, Fangshan County, Luliang, Shanxi. Postal Code: 714029. Phone Number：68403938. E-mail：owyvz@dvlgpicn.cn

501。姓名: 明葛土

住址（湖泊）：山西省忻州市定襄县轶水路 643 号葛兵湖（邮政编码：875207）。联系电话：18287321。电子邮箱：dsbge@dwygqfoa.lakes.cn

Zhù zhǐ: Míng Gé Tǔ Shānxī Shěng Xīnzhōu Shì Dìng Xiāng Xiàn Yì Shuǐ Lù 643 Hào Gé Bīng Hú (Yóuzhèng Biānmǎ：875207). Liánxì Diànhuà：18287321. Diànzǐ Yóuxiāng：dsbge@dwygqfoa.lakes.cn

Ge Tu Ming, Ge Bing Lake, 643 Yi Shui Road, Dingxiang County, Xinzhou, Shanxi. Postal Code: 875207. Phone Number：18287321. E-mail：dsbge@dwygqfoa.lakes.cn

502。姓名: 靳龙帆

住址（湖泊）：山西省朔州市平鲁区葛王路 963 号沛立湖（邮政编码：628935）。联系电话：82809095。电子邮箱：mpthg@jypudaex.lakes.cn

Zhù zhǐ: Jìn Lóng Fān Shānxī Shěng Shuò Zhōu Shì Píng Lǔ Qū Gé Wáng Lù 963 Hào Pèi Lì Hú (Yóuzhèng Biānmǎ：628935). Liánxì Diànhuà：82809095. Diànzǐ Yóuxiāng：mpthg@jypudaex.lakes.cn

Long Fan Jin, Pei Li Lake, 963 Ge Wang Road, Pinglu District, Shuozhou, Shanxi. Postal Code: 628935. Phone Number：82809095. E-mail：mpthg@jypudaex.lakes.cn

503。姓名: 空可自

住址（医院）：山西省朔州市朔城区轶寰路 290 号继易医院（邮政编码：411852）。联系电话：78368058。电子邮箱：dhqcp@wvkznhrf.health.cn

Zhù zhǐ: Kōng Kě Zì Shānxī Shěng Shuò Zhōu Shì Shuò Chéngqū Yì Huán Lù 290 Hào Jì Yì Yī Yuàn（Yóuzhèng Biānmǎ：411852). Liánxì Diànhuà：78368058. Diànzǐ Yóuxiāng：dhqcp@wvkznhrf.health.cn

Ke Zi Kong, Ji Yi Hospital, 290 Yi Huan Road, Shuocheng District, Shuozhou, Shanxi. Postal Code: 411852. Phone Number：78368058. E-mail：dhqcp@wvkznhrf.health.cn

504。姓名: 公人来

住址（酒店）：山西省忻州市繁峙县帆铁路 196 号征顺酒店（邮政编码：862878）。联系电话：56036581。电子邮箱：vwmuy@glpmuejd.biz.cn

Zhù zhǐ: Gōng Rén Lái Shānxī Shěng Xīnzhōu Shì Fán Zhì Xiàn Fān Fū Lù 196 Hào Zhēng Shùn Jiǔ Diàn（Yóuzhèng Biānmǎ：862878). Liánxì Diànhuà：56036581. Diànzǐ Yóuxiāng：vwmuy@glpmuejd.biz.cn

Ren Lai Gong, Zheng Shun Hotel, 196 Fan Fu Road, Fanshi County, Xinzhou, Shanxi. Postal Code: 862878. Phone Number：56036581. E-mail：vwmuy@glpmuejd.biz.cn

505。姓名: 庾恩汉

住址（广场）：山西省阳泉市郊区臻中路 972 号原自广场（邮政编码：961631）。联系电话：35340769。电子邮箱：tsjgn@qjnbfzcv.squares.cn

Zhù zhǐ: Yǔ Ēn Hàn Shānxī Shěng Yángquán Shì Jiāoqū Zhēn Zhōng Lù 972 Hào Yuán Zì Guǎng Chǎng （Yóuzhèng Biānmǎ：961631). Liánxì Diànhuà：35340769. Diànzǐ Yóuxiāng：tsjgn@qjnbfzcv.squares.cn

En Han Yu, Yuan Zi Square, 972 Zhen Zhong Road, Jiao District, Yangquan, Shanxi. Postal Code: 961631. Phone Number：35340769. E-mail：tsjgn@qjnbfzcv.squares.cn

506。姓名: 左丘守领

住址（广场）：山西省临汾市襄汾县奎勇路 700 号勇勇广场（邮政编码：191356）。联系电话：55790421。电子邮箱：habdt@ywmfvaeb.squares.cn

Zhù zhǐ: Zuǒqiū Shǒu Lǐng Shānxī Shěng Línfén Shì Xiāng Fén Xiàn Kuí Yǒng Lù 700 Hào Yǒng Yǒng Guǎng Chǎng （Yóuzhèng Biānmǎ：191356). Liánxì Diànhuà：55790421. Diànzǐ Yóuxiāng：habdt@ywmfvaeb.squares.cn

Shou Ling Zuoqiu, Yong Yong Square, 700 Kui Yong Road, Xiangfen County, Linfen, Shanxi. Postal Code: 191356. Phone Number：55790421. E-mail：habdt@ywmfvaeb.squares.cn

507。姓名: 连冠翰

住址（博物院）：山西省吕梁市岚县珏翼路 389 号吕梁博物馆（邮政编码：128227）。联系电话：12467007。电子邮箱：sfotz@crlizygu.museums.cn

Zhù zhǐ: Lián Guàn Hàn Shānxī Shěng Lǚliáng Shì Lán Xiàn Jué Yì Lù 389 Hào Lǚliáng Bó Wù Guǎn （Yóuzhèng Biānmǎ：128227). Liánxì Diànhuà：12467007. Diànzǐ Yóuxiāng：sfotz@crlizygu.museums.cn

Guan Han Lian, Luliang Museum, 389 Jue Yi Road, Lan County, Luliang, Shanxi. Postal Code: 128227. Phone Number：12467007. E-mail：sfotz@crlizygu.museums.cn

508。姓名: 章寰翼

住址（湖泊）：山西省太原市阳曲县来全路 538 号珂食湖（邮政编码：621733）。联系电话：88847577。电子邮箱：buypq@mxkgnupo.lakes.cn

Zhù zhǐ: Zhāng Huán Yì Shānxī Shěng Tàiyuán Shì Yáng Qū Xiàn Lái Quán Lù 538 Hào Kē Yì Hú (Yóuzhèng Biānmǎ：621733). Liánxì Diànhuà：88847577. Diànzǐ Yóuxiāng：buypq@mxkgnupo.lakes.cn

Huan Yi Zhang, Ke Yi Lake, 538 Lai Quan Road, Yangqu County, Taiyuan, Shanxi. Postal Code: 621733. Phone Number：88847577. E-mail：buypq@mxkgnupo.lakes.cn

509。姓名:诸焯陶

住址（公园）：山西省阳泉市矿区兆强路 810 号焯斌公园（邮政编码：861488）。联系电话：66203198。电子邮箱：wkizb@akzwugbd.parks.cn

Zhù zhǐ: Zhū Chāo Táo Shānxī Shěng Yángquán Shì Kuàngqū Zhào Qiǎng Lù 810 Hào Zhuō Bīn Gōng Yuán (Yóuzhèng Biānmǎ：861488). Liánxì Diànhuà：66203198. Diànzǐ Yóuxiāng：wkizb@akzwugbd.parks.cn

Chao Tao Zhu, Zhuo Bin Park, 810 Zhao Qiang Road, Mining Area, Yangquan, Shanxi. Postal Code: 861488. Phone Number：66203198. E-mail：wkizb@akzwugbd.parks.cn

510。姓名:阳歧队

住址（酒店）：山西省晋中市榆社县骥愈路 964 号来稼酒店（邮政编码：174254）。联系电话：15255318。电子邮箱：iqnau@ypekdqju.biz.cn

Zhù zhǐ: Yáng Qí Duì Shānxī Shěng Jìn Zhōng Shì Yú Shè Xiàn Jì Yù Lù 964 Hào Lái Jià Jiǔ Diàn (Yóuzhèng Biānmǎ：174254). Liánxì Diànhuà：15255318. Diànzǐ Yóuxiāng：iqnau@ypekdqju.biz.cn

Qi Dui Yang, Lai Jia Hotel, 964 Ji Yu Road, Yushe County, Jinzhong, Shanxi. Postal Code: 174254. Phone Number：15255318. E-mail：iqnau@ypekdqju.biz.cn

511。姓名: 段兵院

住址（机场）：山西省大同市阳高县钢可路 221 号大同不己国际机场（邮政编码：978662）。联系电话：13131305。电子邮箱：oyuia@uhbnkrly.airports.cn

Zhù zhǐ: Duàn Bīng Yuàn Shānxī Shěng Dàtóng Shì Yáng gāo xiàn Gāng Kě Lù 221 Hào Dàtóng Bù Jǐ Guó Jì Jī Chǎng（Yóuzhèng Biānmǎ：978662). Liánxì Diànhuà: 13131305. Diànzǐ Yóuxiāng: oyuia@uhbnkrly.airports.cn

Bing Yuan Duan, Datong Bu Ji International Airport, 221 Gang Ke Road, Yanggao County, Datong, Shanxi. Postal Code: 978662. Phone Number：13131305. E-mail: oyuia@uhbnkrly.airports.cn

512。姓名: 裴阳熔

住址（机场）：山西省临汾市大宁县恩石路 271 号临汾亚鹤国际机场（邮政编码：288798）。联系电话：83043018。电子邮箱：izyqw@rlfsobce.airports.cn

Zhù zhǐ: Péi Yáng Róng Shānxī Shěng Línfén Shì Dà Níngxiàn Ēn Dàn Lù 271 Hào Línfén Yà Hè Guó Jì Jī Chǎng（Yóuzhèng Biānmǎ：288798). Liánxì Diànhuà: 83043018. Diànzǐ Yóuxiāng: izyqw@rlfsobce.airports.cn

Yang Rong Pei, Linfen Ya He International Airport, 271 En Dan Road, Daning County, Linfen, Shanxi. Postal Code: 288798. Phone Number：83043018. E-mail: izyqw@rlfsobce.airports.cn

513。姓名: 张渊兵

住址（机场）：山西省忻州市五台县伦原路 628 号忻州稼浩国际机场（邮政编码：967428）。联系电话：53022767。电子邮箱：gmutv@abjnogip.airports.cn

Zhù zhǐ: Zhāng Yuán Bīng Shānxī Shěng Xīnzhōu Shì Wǔ Tái Xiàn Lún Yuán Lù 628 Hào Xīnzōu Jià Hào Guó Jì Jī Chǎng （Yóuzhèng Biānmǎ： 967428). Liánxì Diànhuà： 53022767. Diànzǐ Yóuxiāng： gmutv@abjnogip.airports.cn

Yuan Bing Zhang, Xinzhou Jia Hao International Airport, 628 Lun Yuan Road, Wutai County, Xinzhou, Shanxi. Postal Code: 967428. Phone Number： 53022767. E-mail： gmutv@abjnogip.airports.cn

514。姓名: 陈领自

住址（机场）：山西省吕梁市岚县坡愈路 974 号吕梁计奎国际机场（邮政编码：646876）。联系电话：30649787。电子邮箱：ibmlz@umhaozqr.airports.cn

Zhù zhǐ: Chén Lǐng Zì Shānxī Shěng Lǚliáng Shì Lán Xiàn Pō Yù Lù 974 Hào Lǚliáng Jì Kuí Guó Jì Jī Chǎng （Yóuzhèng Biānmǎ： 646876). Liánxì Diànhuà： 30649787. Diànzǐ Yóuxiāng： ibmlz@umhaozqr.airports.cn

Ling Zi Chen, Luliang Ji Kui International Airport, 974 Po Yu Road, Lan County, Luliang, Shanxi. Postal Code: 646876. Phone Number： 30649787. E-mail： ibmlz@umhaozqr.airports.cn

515。姓名: 傅王涛

住址（大学）：山西省朔州市朔城区磊食大学超来路 356 号（邮政编码：597138）。联系电话：25708671。电子邮箱：nhpmb@qbhljfgk.edu.cn

Zhù zhǐ: Fù Wàng Tāo Shānxī Shěng Shuò Zhōu Shì Shuò Chéngqū Lěi Yì DàxuéChāo Lái Lù 356 Hào （Yóuzhèng Biānmǎ： 597138). Liánxì Diànhuà： 25708671. Diànzǐ Yóuxiāng： nhpmb@qbhljfgk.edu.cn

Wang Tao Fu, Lei Yi University, 356 Chao Lai Road, Shuocheng District, Shuozhou, Shanxi. Postal Code: 597138. Phone Number： 25708671. E-mail： nhpmb@qbhljfgk.edu.cn

516。姓名: 巴兵居

住址（湖泊）：山西省临汾市尧都区歧学路 128 号宝珏湖（邮政编码：929361）。联系电话：29286490。电子邮箱：sukax@enyrskmv.lakes.cn

Zhù zhǐ: Bā Bīng Jū Shānxī Shěng Línfén Shì Yáo Dōu Qū Qí Xué Lù 128 Hào Bǎo Jué Hú（Yóuzhèng Biānmǎ：929361). Liánxì Diànhuà：29286490. Diànzǐ Yóuxiāng：sukax@enyrskmv.lakes.cn

Bing Ju Ba, Bao Jue Lake, 128 Qi Xue Road, Yaodu District, Linfen, Shanxi. Postal Code: 929361. Phone Number：29286490. E-mail：sukax@enyrskmv.lakes.cn

517。姓名: 邱沛秀

住址（酒店）：山西省太原市万柏林区强迅路 219 号冠食酒店（邮政编码：863657）。联系电话：15825922。电子邮箱：oycbk@njpcrebl.biz.cn

Zhù zhǐ: Qiū Bèi Xiù Shānxī Shěng Tàiyuán Shì Wàn Bólín Qū Qiǎng Xùn Lù 219 Hào Guàn Shí Jiǔ Diàn（Yóuzhèng Biānmǎ：863657). Liánxì Diànhuà：15825922. Diànzǐ Yóuxiāng：oycbk@njpcrebl.biz.cn

Bei Xiu Qiu, Guan Shi Hotel, 219 Qiang Xun Road, Wan Bolin District, Taiyuan, Shanxi. Postal Code: 863657. Phone Number：15825922. E-mail：oycbk@njpcrebl.biz.cn

518。姓名: 昝锤恩

住址（寺庙）：山西省太原市迎泽区珏禹路 877 号兵珂寺（邮政编码：721525）。联系电话：57135276。电子邮箱：kunwd@dbsozprv.god.cn

Zhù zhǐ: Zǎn Chuí Ēn Shānxī Shěng Tàiyuán Shì Yíng Zé Qū Jué Yǔ Lù 877 Hào Bīng Kē Sì（Yóuzhèng Biānmǎ：721525). Liánxì Diànhuà：57135276. Diànzǐ Yóuxiāng：kunwd@dbsozprv.god.cn

Chui En Zan, Bing Ke Temple, 877 Jue Yu Road, Yingze District, Taiyuan, Shanxi. Postal Code: 721525. Phone Number：57135276. E-mail：kunwd@dbsozprv.god.cn

519。姓名：单于柱来

住址（广场）：山西省阳泉市平定县炯寰路 178 号亭世广场（邮政编码：380927）。联系电话：87530727。电子邮箱：jpfka@ovqfajwd.squares.cn

Zhù zhǐ: Chányú Zhù Lái Shānxī Shěng Yángquán Shì Píngdìng Xiàn Jiǒng Huán Lù 178 Hào Tíng Shì Guǎng Chǎng（Yóuzhèng Biānmǎ：380927). Liánxì Diànhuà：87530727. Diànzǐ Yóuxiāng：jpfka@ovqfajwd.squares.cn

Zhu Lai Chanyu, Ting Shi Square, 178 Jiong Huan Road, Pingding County, Yangquan, Shanxi. Postal Code: 380927. Phone Number：87530727. E-mail：jpfka@ovqfajwd.squares.cn

520。姓名：成跃甫

住址（博物院）：山西省长治市潞州区独亮路 741 号长治博物馆（邮政编码：235253）。联系电话：11364717。电子邮箱：mhkas@hapxvqtf.museums.cn

Zhù zhǐ: Chéng Yuè Fǔ Shānxī Shěng Chángzhì Shì Lù Zhōu Qū Dú Liàng Lù 741 Hào Cángz Bó Wù Guǎn（Yóuzhèng Biānmǎ：235253). Liánxì Diànhuà：11364717. Diànzǐ Yóuxiāng：mhkas@hapxvqtf.museums.cn

Yue Fu Cheng, Changzhi Museum, 741 Du Liang Road, Luzhou District, Changzhi, Shanxi. Postal Code: 235253. Phone Number：11364717. E-mail：mhkas@hapxvqtf.museums.cn

521。姓名：冷焯白

住址（公共汽车站）：山西省阳泉市盂县葛盛路 919 号圣铭站（邮政编码：184891）。联系电话：85017256。电子邮箱：zbmqf@bfqoavrm.transport.cn

Zhù zhǐ: Lěng Zhuō Bái Shānxī Shěng Yángquán Shì Yú Xiàn Gé Chéng Lù 919 Hào Shèng Míng Zhàn（Yóuzhèng Biānmǎ：184891). Liánxì Diànhuà：85017256. Diànzǐ Yóuxiāng：zbmqf@bfqoavrm.transport.cn

Zhuo Bai Leng, Sheng Ming Bus Station, 919 Ge Cheng Road, Yu County, Yangquan, Shanxi. Postal Code: 184891. Phone Number：85017256. E-mail：zbmqf@bfqoavrm.transport.cn

522。姓名: 扈可愈

住址（酒店）：山西省朔州市平鲁区黎炯路 184 号谢进酒店（邮政编码：303751）。联系电话：71243404。电子邮箱：cgqbs@qszbtjun.biz.cn

Zhù zhǐ: Hù Kě Yù Shānxī Shěng Shuò Zhōu Shì Píng Lǔ Qū Lí Jiǒng Lù 184 Hào Xiè Jìn Jiǔ Diàn (Yóuzhèng Biānmǎ：303751). Liánxì Diànhuà：71243404. Diànzǐ Yóuxiāng：cgqbs@qszbtjun.biz.cn

Ke Yu Hu, Xie Jin Hotel, 184 Li Jiong Road, Pinglu District, Shuozhou, Shanxi. Postal Code: 303751. Phone Number：71243404. E-mail：cgqbs@qszbtjun.biz.cn

523。姓名: 红洵郁

住址（公司）：山西省长治市屯留区石焯路 842 号陆乙有限公司（邮政编码：575286）。联系电话：98521864。电子邮箱：fguet@ezqcwxjl.biz.cn

Zhù zhǐ: Hóng Xún Yù Shānxī Shěng Chángzhì Shì Tún Liú Qū Dàn Chāo Lù 842 Hào Liù Yǐ Yǒuxiàn Gōngsī (Yóuzhèng Biānmǎ：575286). Liánxì Diànhuà：98521864. Diànzǐ Yóuxiāng：fguet@ezqcwxjl.biz.cn

Xun Yu Hong, Liu Yi Corporation, 842 Dan Chao Road, Tunliu District, Changzhi, Shanxi. Postal Code: 575286. Phone Number：98521864. E-mail：fguet@ezqcwxjl.biz.cn

524。姓名: 聂惟辙

住址（火车站）：山西省长治市沁源县独陶路 469 号长治站（邮政编码：346905）。联系电话：50365237。电子邮箱：reusw@jzpcixre.chr.cn

Zhù zhǐ: Niè Wéi Zhé Shānxī Shěng Chángzhì Shì Qìn Yuán Xiàn Dú Táo Lù 469 Hào Cángz Zhàn (Yóuzhèng Biānmǎ: 346905). Liánxì Diànhuà: 50365237. Diànzǐ Yóuxiāng: reusw@jzpcixre.chr.cn

Wei Zhe Nie, Changzhi Railway Station, 469 Du Tao Road, Qinyuan County, Changzhi, Shanxi. Postal Code: 346905. Phone Number: 50365237. E-mail: reusw@jzpcixre.chr.cn

525。姓名: 霍兵珏

住址（寺庙）：山西省忻州市五台县兆轼路 682 号土勇寺（邮政编码：417926）。联系电话：53236534。电子邮箱：obsjz@hbojwzgk.god.cn

Zhù zhǐ: Huò Bīng Jué Shānxī Shěng Xīnzhōu Shì Wǔ Tái Xiàn Zhào Shì Lù 682 Hào Tǔ Yǒng Sì (Yóuzhèng Biānmǎ: 417926). Liánxì Diànhuà: 53236534. Diànzǐ Yóuxiāng: obsjz@hbojwzgk.god.cn

Bing Jue Huo, Tu Yong Temple, 682 Zhao Shi Road, Wutai County, Xinzhou, Shanxi. Postal Code: 417926. Phone Number: 53236534. E-mail: obsjz@hbojwzgk.god.cn

526。姓名: 何员科

住址（大学）：山西省晋城市陵川县石斌大学葆光路 553 号（邮政编码：453592）。联系电话：28334336。电子邮箱：utrha@bsyqtzje.edu.cn

Zhù zhǐ: Hé Yún Kē Shānxī Shěng Jìnchéng Shì Líng Chuān Xiàn Dàn Bīn DàxuéBǎo Guāng Lù 553 Hào (Yóuzhèng Biānmǎ: 453592). Liánxì Diànhuà: 28334336. Diànzǐ Yóuxiāng: utrha@bsyqtzje.edu.cn

Yun Ke He, Dan Bin University, 553 Bao Guang Road, Lingchuan County, Jincheng, Shanxi. Postal Code: 453592. Phone Number: 28334336. E-mail: utrha@bsyqtzje.edu.cn

527。姓名: 郁翰中

住址（大学）：山西省朔州市应县南辙大学星员路 193 号（邮政编码：845552）。联系电话：55677196。电子邮箱：rhvau@odmkxhft.edu.cn

Zhù zhǐ: Yù Hàn Zhōng Shānxī Shěng Shuò Zhōu Shì Yìng Xiàn Nán Zhé DàxuéXīng Yuán Lù 193 Hào（Yóuzhèng Biānmǎ：845552）. Liánxì Diànhuà：55677196. Diànzǐ Yóuxiāng：rhvau@odmkxhft.edu.cn

Han Zhong Yu, Nan Zhe University, 193 Xing Yuan Road, Ying County, Shuozhou, Shanxi. Postal Code: 845552. Phone Number：55677196. E-mail：rhvau@odmkxhft.edu.cn

528。姓名: 习涛彬

住址（医院）：山西省太原市杏花岭区友胜路 916 号游不医院（邮政编码：563293）。联系电话：52805502。电子邮箱：rzxbh@lcsqbujp.health.cn

Zhù zhǐ: Xí Tāo Bīn Shānxī Shěng Tàiyuán Shì Xìng Huā Lǐng Qū Yǒu Shēng Lù 916 Hào Yóu Bù Yī Yuàn（Yóuzhèng Biānmǎ：563293）. Liánxì Diànhuà：52805502. Diànzǐ Yóuxiāng：rzxbh@lcsqbujp.health.cn

Tao Bin Xi, You Bu Hospital, 916 You Sheng Road, Xinghualing District, Taiyuan, Shanxi. Postal Code: 563293. Phone Number：52805502. E-mail：rzxbh@lcsqbujp.health.cn

529。姓名: 谢跃圣

住址（公园）：山西省晋中市昔阳县成仓路 401 号亭不公园（邮政编码：637659）。联系电话：64926297。电子邮箱：ndaxo@xcakeiyd.parks.cn

Zhù zhǐ: Xiè Yuè Shèng Shānxī Shěng Jìn Zhōng Shì Xī Yáng Xiàn Chéng Cāng Lù 401 Hào Tíng Bù Gōng Yuán（Yóuzhèng Biānmǎ：637659）. Liánxì Diànhuà：64926297. Diànzǐ Yóuxiāng：ndaxo@xcakeiyd.parks.cn

Yue Sheng Xie, Ting Bu Park, 401 Cheng Cang Road, Xiyang County, Jinzhong, Shanxi. Postal Code: 637659. Phone Number：64926297. E-mail：ndaxo@xcakeiyd.parks.cn

530。姓名: 殳中院

住址（广场）：山西省朔州市朔城区歧陶路 633 号陶臻广场（邮政编码：345818）。联系电话：25498238。电子邮箱：gwdbz@lcbxmwfs.squares.cn

Zhù zhǐ: Shū Zhōng Yuàn Shānxī Shěng Shuò Zhōu Shì Shuò Chéngqū Qí Táo Lù 633 Hào Táo Zhēn Guǎng Chǎng（Yóuzhèng Biānmǎ：345818）. Liánxì Diànhuà：25498238. Diànzǐ Yóuxiāng：gwdbz@lcbxmwfs.squares.cn

Zhong Yuan Shu, Tao Zhen Square, 633 Qi Tao Road, Shuocheng District, Shuozhou, Shanxi. Postal Code: 345818. Phone Number：25498238. E-mail：gwdbz@lcbxmwfs.squares.cn

531。姓名: 蓬先斌

住址（大学）：山西省大同市广灵县坡毅大学原屹路 381 号（邮政编码：227285）。联系电话：83583485。电子邮箱：pokdl@hvcagqnb.edu.cn

Zhù zhǐ: Péng Xiān Bīn Shānxī Shěng Dàtóng Shì Guǎng Líng Xiàn Pō Yì DàxuéYuán Yì Lù 381 Hào（Yóuzhèng Biānmǎ：227285）. Liánxì Diànhuà：83583485. Diànzǐ Yóuxiāng：pokdl@hvcagqnb.edu.cn

Xian Bin Peng, Po Yi University, 381 Yuan Yi Road, Guangling County, Datong, Shanxi. Postal Code: 227285. Phone Number：83583485. E-mail：pokdl@hvcagqnb.edu.cn

532。姓名: 慕隆黎

住址（火车站）：山西省太原市古交市仲征路 709 号太原站（邮政编码：988615）。联系电话：68251433。电子邮箱：fpqko@oxrgusbz.chr.cn

Zhù zhǐ: Mù Lóng Lí Shānxī Shěng Tàiyuán Shì Gǔ Jiāo Shì Zhòng Zhēng Lù 709 Hào Tàiyuán Zhàn（Yóuzhèng Biānmǎ：988615）. Liánxì Diànhuà：68251433. Diànzǐ Yóuxiāng：fpqko@oxrgusbz.chr.cn

Long Li Mu, Taiyuan Railway Station, 709 Zhong Zheng Road, Gujiao City, Taiyuan, Shanxi. Postal Code: 988615. Phone Number：68251433. E-mail：fpqko@oxrgusbz.chr.cn

533。姓名: 扶禹郁

住址（大学）：山西省大同市平城区坤勇大学盛克路 759 号（邮政编码：793348）。联系电话：55603537。电子邮箱：ghwya@dinzsbym.edu.cn

Zhù zhǐ: Fú Yǔ Yù Shānxī Shěng Dàtóng Shì Píng Chéng Qū Kūn Yǒng DàxuéShèng Kè Lù 759 Hào（Yóuzhèng Biānmǎ：793348）. Liánxì Diànhuà：55603537. Diànzǐ Yóuxiāng：ghwya@dinzsbym.edu.cn

Yu Yu Fu, Kun Yong University, 759 Sheng Ke Road, Pingcheng District, Datong, Shanxi. Postal Code: 793348. Phone Number：55603537. E-mail：ghwya@dinzsbym.edu.cn

534。姓名: 宁继中

住址（公司）：山西省大同市左云县轼计路 602 号歧迅有限公司（邮政编码：677648）。联系电话：82818541。电子邮箱：vewuz@velpfyxz.biz.cn

Zhù zhǐ: Nìng Jì Zhòng Shānxī Shěng Dàtóng Shì Zuǒ Yún Xiàn Shì Jì Lù 602 Hào Qí Xùn Yǒuxiàn Gōngsī（Yóuzhèng Biānmǎ：677648）. Liánxì Diànhuà：82818541. Diànzǐ Yóuxiāng：vewuz@velpfyxz.biz.cn

Ji Zhong Ning, Qi Xun Corporation, 602 Shi Ji Road, Zuoyun County, Datong, Shanxi. Postal Code: 677648. Phone Number：82818541. E-mail：vewuz@velpfyxz.biz.cn

535。姓名: 衡铁翼

住址（机场）：山西省吕梁市孝义市敬奎路 438 号吕梁红世国际机场（邮政编码：790011）。联系电话：29814732。电子邮箱：kxqcr@sdxcazym.airports.cn

Zhù zhǐ: Héng Tiě Yì Shānxī Shěng Lǚliáng Shì Xiào Yì Shì Jìng Kuí Lù 438 Hào Lǚliáng Hóng Shì Guó Jì Jī Chǎng（Yóuzhèng Biānmǎ：790011）. Liánxì Diànhuà：29814732. Diànzǐ Yóuxiāng：kxqcr@sdxcazym.airports.cn

Tie Yi Heng, Luliang Hong Shi International Airport, 438 Jing Kui Road, Xiaoyi City, Luliang, Shanxi. Postal Code: 790011. Phone Number：29814732. E-mail：kxqcr@sdxcazym.airports.cn

536。姓名: 牛禹黎

住址（大学）：山西省忻州市代县南员大学磊不路 863 号（邮政编码：861820）。联系电话：45096871。电子邮箱：xvzmo@wmuosyvt.edu.cn

Zhù zhǐ: Niú Yǔ Lí Shānxī Shěng Xīnzhōu Shì Dài Xiàn Nán Yún Dàxué Lěi Bù Lù 863 Hào（Yóuzhèng Biānmǎ：861820）. Liánxì Diànhuà：45096871. Diànzǐ Yóuxiāng：xvzmo@wmuosyvt.edu.cn

Yu Li Niu, Nan Yun University, 863 Lei Bu Road, Dai County, Xinzhou, Shanxi. Postal Code: 861820. Phone Number：45096871. E-mail：xvzmo@wmuosyvt.edu.cn

537。姓名: 向帆水

住址（寺庙）：山西省晋城市阳城县南员路 498 号源盛寺（邮政编码：123826）。联系电话：28953017。电子邮箱：tbrai@eoznmlqg.god.cn

Zhù zhǐ: Xiàng Fān Shuǐ Shānxī Shěng Jìnchéng Shì Yáng Chéng Xiàn Nán Yún Lù 498 Hào Yuán Shèng Sì（Yóuzhèng Biānmǎ：123826）. Liánxì Diànhuà：28953017. Diànzǐ Yóuxiāng：tbrai@eoznmlqg.god.cn

Fan Shui Xiang, Yuan Sheng Temple, 498 Nan Yun Road, Yangcheng County, Jincheng, Shanxi. Postal Code: 123826. Phone Number：28953017. E-mail：tbrai@eoznmlqg.god.cn

538。姓名: 宣胜人

住址（湖泊）：山西省朔州市怀仁市坤员路 531 号辙不湖（邮政编码：763539）。联系电话：86156080。电子邮箱：pcvuh@jpzewuog.lakes.cn

Zhù zhǐ: Xuān Shēng Rén Shānxī Shěng Shuò Zhōu Shì Huái Rén Shì Kūn Yuán Lù 531 Hào Zhé Bù Hú（Yóuzhèng Biānmǎ：763539). Liánxì Diànhuà：86156080. Diànzǐ Yóuxiāng：pcvuh@jpzewuog.lakes.cn

Sheng Ren Xuan, Zhe Bu Lake, 531 Kun Yuan Road, Huairen City, Shuozhou, Shanxi. Postal Code: 763539. Phone Number：86156080. E-mail：pcvuh@jpzewuog.lakes.cn

539。姓名: 劳柱葆

住址（湖泊）：山西省大同市新荣区中化路 198 号宽盛湖（邮政编码：678261）。联系电话：12364531。电子邮箱：kvenf@lkntgazs.lakes.cn

Zhù zhǐ: Láo Zhù Bǎo Shānxī Shěng Dàtóng Shì Xīn Róng Qū Zhòng Huà Lù 198 Hào Kuān Chéng Hú（Yóuzhèng Biānmǎ：678261). Liánxì Diànhuà：12364531. Diànzǐ Yóuxiāng：kvenf@lkntgazs.lakes.cn

Zhu Bao Lao, Kuan Cheng Lake, 198 Zhong Hua Road, Xinrong District, Datong, Shanxi. Postal Code: 678261. Phone Number：12364531. E-mail：kvenf@lkntgazs.lakes.cn

540。姓名: 云斌友

住址（火车站）：山西省吕梁市临县沛锡路 645 号吕梁站（邮政编码：944821）。联系电话：31657340。电子邮箱：lzhmc@mykndjxl.chr.cn

Zhù zhǐ: Yún Bīn Yǒu Shānxī Shěng Lǚliáng Shì Lín Xiàn Pèi Xī Lù 645 Hào Lǚliáng Zhàn（Yóuzhèng Biānmǎ：944821). Liánxì Diànhuà：31657340. Diànzǐ Yóuxiāng：lzhmc@mykndjxl.chr.cn

Bin You Yun, Luliang Railway Station, 645 Pei Xi Road, Lin County, Luliang, Shanxi. Postal Code: 944821. Phone Number：31657340. E-mail：lzhmc@mykndjxl.chr.cn

CHAPTER 4: NAME, SURNAME & ADDRESSES (91-120)

541。姓名: 章珂民

住址（湖泊）：山西省太原市小店区盛甫路 218 号进帆湖（邮政编码：538512）。联系电话：15825011。电子邮箱：qnbwa@jtegupqi.lakes.cn

Zhù zhǐ: Zhāng Kē Mín Shānxī Shěng Tàiyuán Shì Xiǎo Diàn Qū Chéng Fǔ Lù 218 Hào Jìn Fān Hú（Yóuzhèng Biānmǎ：538512）. Liánxì Diànhuà：15825011. Diànzǐ Yóuxiāng：qnbwa@jtegupqi.lakes.cn

Ke Min Zhang, Jin Fan Lake, 218 Cheng Fu Road, Shop Area, Taiyuan, Shanxi. Postal Code: 538512. Phone Number：15825011. E-mail: qnbwa@jtegupqi.lakes.cn

542。姓名: 臧锤九

住址（家庭）：山西省吕梁市离石区稼世路 526 号昌成公寓 21 层 650 室（邮政编码：739120）。联系电话：51616964。电子邮箱：qrumy@ekigyncw.cn

Zhù zhǐ: Zāng Chuí Jiǔ Shānxī Shěng Lǚliáng Shì Lí Shí Qū Jià Shì Lù 526 Hào Chāng Chéng Gōng Yù 21 Céng 650 Shì (Yóuzhèng Biānmǎ：739120). Liánxì Diànhuà：51616964. Diànzǐ Yóuxiāng：qrumy@ekigyncw.cn

Chui Jiu Zang, Room# 650, Floor# 21, Chang Cheng Apartment, 526 Jia Shi Road, Lishi District, Luliang, Shanxi. Postal Code: 739120. Phone Number：51616964. E-mail：qrumy@ekigyncw.cn

543。姓名: 申全仓

住址（医院）：山西省晋中市灵石县来洵路 756 号伦陆医院（邮政编码：420005）。联系电话：64447963。电子邮箱：sgtaw@dpemygst.health.cn

Zhù zhǐ: Shēn Quán Cāng Shānxī Shěng Jìn Zhōng Shì Líng Shí Xiàn Lái Xún Lù 756 Hào Lún Lù Yī Yuàn（Yóuzhèng Biānmǎ：420005）. Liánxì Diànhuà：64447963. Diànzǐ Yóuxiāng：sgtaw@dpemygst.health.cn

Quan Cang Shen, Lun Lu Hospital, 756 Lai Xun Road, Lingshi County, Jinzhong, Shanxi. Postal Code: 420005. Phone Number： 64447963. E-mail： sgtaw@dpemygst.health.cn

544。姓名: 弘顺泽

住址（湖泊）：山西省阳泉市平定县乙中路 976 号居圣湖（邮政编码：147096）。联系电话：42767050。电子邮箱：zeifu@lgabdtzk.lakes.cn

Zhù zhǐ: Hóng Shùn Zé Shānxī Shěng Yángquán Shì Píngdìng Xiàn Yǐ Zhòng Lù 976 Hào Jū Shèng Hú （Yóuzhèng Biānmǎ：147096). Liánxì Diànhuà：42767050. Diànzǐ Yóuxiāng：zeifu@lgabdtzk.lakes.cn

Shun Ze Hong, Ju Sheng Lake, 976 Yi Zhong Road, Pingding County, Yangquan, Shanxi. Postal Code: 147096. Phone Number： 42767050. E-mail： zeifu@lgabdtzk.lakes.cn

545。姓名: 梁丘轶金

住址（医院）：山西省朔州市山阴县黎桥路 868 号泽顺医院（邮政编码：265809）。联系电话：68939858。电子邮箱：kcmui@cqrxpfvk.health.cn

Zhù zhǐ: Liángqiū Yì Jīn Shānxī Shěng Shuò Zhōu Shì Shān Yīn Xiàn Lí Qiáo Lù 868 Hào Zé Shùn Yī Yuàn （Yóuzhèng Biānmǎ：265809). Liánxì Diànhuà：68939858. Diànzǐ Yóuxiāng：kcmui@cqrxpfvk.health.cn

Yi Jin Liangqiu, Ze Shun Hospital, 868 Li Qiao Road, Sanyin County, Shuozhou, Shanxi. Postal Code: 265809. Phone Number： 68939858. E-mail： kcmui@cqrxpfvk.health.cn

546。姓名: 东方仓敬

住址（火车站）：山西省临汾市乡宁县庆仓路 394 号临汾站（邮政编码：430341）。联系电话：96213041。电子邮箱：dbvrg@rtegxkcs.chr.cn

Zhù zhǐ: Dōngfāng Cāng Jìng Shānxī Shěng Línfén Shì Xiāng Níngxiàn Qìng Cāng Lù 394 Hào Línfén Zhàn（Yóuzhèng Biānmǎ：430341). Liánxì Diànhuà：96213041. Diànzǐ Yóuxiāng：dbvrg@rtegxkcs.chr.cn

Cang Jing Dongfang, Linfen Railway Station, 394 Qing Cang Road, Xiangning County, Linfen, Shanxi. Postal Code: 430341. Phone Number：96213041. E-mail：dbvrg@rtegxkcs.chr.cn

547。姓名: 冯居兵

住址（家庭）：山西省吕梁市方山县食计路 665 号继山公寓 44 层 925 室（邮政编码：891029）。联系电话：19239081。电子邮箱：weofg@rndxtfcm.cn

Zhù zhǐ: Féng Jū Bīng Shānxī Shěng Lǚliáng Shì Fāng Shān Xiàn Yì Jì Lù 665 Hào Jì Shān Gōng Yù 44 Céng 925 Shì（Yóuzhèng Biānmǎ：891029). Liánxì Diànhuà：19239081. Diànzǐ Yóuxiāng：weofg@rndxtfcm.cn

Ju Bing Feng, Room# 925, Floor# 44, Ji Shan Apartment, 665 Yi Ji Road, Fangshan County, Luliang, Shanxi. Postal Code: 891029. Phone Number：19239081. E-mail：weofg@rndxtfcm.cn

548。姓名: 易嘉振

住址（机场）：山西省忻州市保德县威恩路 940 号忻州帆祥国际机场（邮政编码：535344）。联系电话：80967101。电子邮箱：xoyzb@xdtbyvzu.airports.cn

Zhù zhǐ: Yì Jiā Zhèn Shānxī Shěng Xīnzhōu Shì Bǎo Dé Xiàn Wēi Ēn Lù 940 Hào Xīnzōu Fān Xiáng Guó Jì Jī Chǎng（Yóuzhèng Biānmǎ：535344). Liánxì Diànhuà：80967101. Diànzǐ Yóuxiāng：xoyzb@xdtbyvzu.airports.cn

Jia Zhen Yi, Xinzhou Fan Xiang International Airport, 940 Wei En Road, Baode County, Xinzhou, Shanxi. Postal Code: 535344. Phone Number：80967101. E-mail：xoyzb@xdtbyvzu.airports.cn

549。姓名：应科阳

住址（医院）：山西省忻州市岢岚县阳乙路 909 号化白医院（邮政编码：968199）。联系电话：93080000。电子邮箱：mjrpf@trlvxdwg.health.cn

Zhù zhǐ: Yīng Kē Yáng Shānxī Shěng Xīnzhōu Shì Kě Lán Xiàn Yáng Yǐ Lù 909 Hào Huà Bái Yī Yuàn（Yóuzhèng Biānmǎ：968199). Liánxì Diànhuà：93080000. Diànzǐ Yóuxiāng：mjrpf@trlvxdwg.health.cn

Ke Yang Ying, Hua Bai Hospital, 909 Yang Yi Road, Kelan County, Xinzhou, Shanxi. Postal Code: 968199. Phone Number：93080000. E-mail：mjrpf@trlvxdwg.health.cn

550。姓名：壤驷钦员

住址（寺庙）：山西省忻州市忻府区磊昌路 888 号化祥寺（邮政编码：895382）。联系电话：48056810。电子邮箱：wjoya@rgzbehqp.god.cn

Zhù zhǐ: Rǎngsì Qīn Yuán Shānxī Shěng Xīnzhōu Shì Xīn Fǔ Qū Lěi Chāng Lù 888 Hào Huā Xiáng Sì（Yóuzhèng Biānmǎ：895382). Liánxì Diànhuà：48056810. Diànzǐ Yóuxiāng：wjoya@rgzbehqp.god.cn

Qin Yuan Rangsi, Hua Xiang Temple, 888 Lei Chang Road, Xinfu District, Xinzhou, Shanxi. Postal Code: 895382. Phone Number：48056810. E-mail：wjoya@rgzbehqp.god.cn

551。姓名：司徒庆振

住址（湖泊）：山西省晋中市太谷区辙轶路 462 号惟轼湖（邮政编码：923991）。联系电话：63966868。电子邮箱：fidsq@cghnktre.lakes.cn

Zhù zhǐ: Sītú Qìng Zhèn Shānxī Shěng Jìn Zhōng Shì Tài Gǔ Qū Zhé Yì Lù 462 Hào Wéi Shì Hú（Yóuzhèng Biānmǎ：923991). Liánxì Diànhuà：63966868. Diànzǐ Yóuxiāng：fidsq@cghnktre.lakes.cn

Qing Zhen Situ, Wei Shi Lake, 462 Zhe Yi Road, Taigu District, Jinzhong, Shanxi. Postal Code: 923991. Phone Number：63966868. E-mail：fidsq@cghnktre.lakes.cn

552。姓名: 甄寰臻

住址（广场）：山西省太原市晋源区沛陆路 573 号腾鹤广场（邮政编码：158739）。联系电话：89278359。电子邮箱：emswd@egyunwcj.squares.cn

Zhù zhǐ: Zhēn Huán Zhēn Shānxī Shěng Tàiyuán Shì Jìn Yuán Qū Bèi Liù Lù 573 Hào Téng Hè Guǎng Chǎng（Yóuzhèng Biānmǎ：158739). Liánxì Diànhuà：89278359. Diànzǐ Yóuxiāng：emswd@egyunwcj.squares.cn

Huan Zhen Zhen, Teng He Square, 573 Bei Liu Road, Jinyuan District, Taiyuan, Shanxi. Postal Code: 158739. Phone Number：89278359. E-mail：emswd@egyunwcj.squares.cn

553。姓名: 秋辙际

住址（寺庙）：山西省太原市清徐县超铭路 176 号铁光寺（邮政编码：834746）。联系电话：29527385。电子邮箱：apxfq@njbtdzky.god.cn

Zhù zhǐ: Qiū Zhé Jì Shānxī Shěng Tàiyuán Shì Qīng Xú Xiàn Chāo Míng Lù 176 Hào Fū Guāng Sì（Yóuzhèng Biānmǎ：834746). Liánxì Diànhuà：29527385. Diànzǐ Yóuxiāng：apxfq@njbtdzky.god.cn

Zhe Ji Qiu, Fu Guang Temple, 176 Chao Ming Road, Qingxu County, Taiyuan, Shanxi. Postal Code: 834746. Phone Number：29527385. E-mail：apxfq@njbtdzky.god.cn

554。姓名: 姬铁焯

住址（寺庙）：山西省大同市广灵县大易路 688 号渊亭寺（邮政编码：680676）。联系电话：40789734。电子邮箱：kblip@pzutbgew.god.cn

Zhù zhǐ: Jī Tiě Zhuō Shānxī Shěng Dàtóng Shì Guǎng Líng Xiàn Dài Yì Lù 688 Hào Yuān Tíng Sì (Yóuzhèng Biānmǎ: 680676). Liánxì Diànhuà: 40789734. Diànzǐ Yóuxiāng: kblip@pzutbgew.god.cn

Tie Zhuo Ji, Yuan Ting Temple, 688 Dai Yi Road, Guangling County, Datong, Shanxi. Postal Code: 680676. Phone Number: 40789734. E-mail: kblip@pzutbgew.god.cn

555。姓名: 凤山国

住址（公司）：山西省朔州市怀仁市人锤路 273 号中舟有限公司（邮政编码：738623）。联系电话：83122200。电子邮箱：vzcyp@metquzwb.biz.cn

Zhù zhǐ: Fèng Shān Guó Shānxī Shěng Shuò Zhōu Shì Huái Rén Shì Rén Chuí Lù 273 Hào Zhòng Zhōu Yǒuxiàn Gōngsī (Yóuzhèng Biānmǎ: 738623). Liánxì Diànhuà: 83122200. Diànzǐ Yóuxiāng: vzcyp@metquzwb.biz.cn

Shan Guo Feng, Zhong Zhou Corporation, 273 Ren Chui Road, Huairen City, Shuozhou, Shanxi. Postal Code: 738623. Phone Number: 83122200. E-mail: vzcyp@metquzwb.biz.cn

556。姓名: 蔺可歧

住址（酒店）：山西省晋城市城区王斌路 368 号翼谢酒店（邮政编码：736126）。联系电话：85195277。电子邮箱：jgtlv@ydalvwjp.biz.cn

Zhù zhǐ: Lìn Kě Qí Shānxī Shěng Jìnchéng Shì Chéngqū Wáng Bīn Lù 368 Hào Yì Xiè Jiǔ Diàn (Yóuzhèng Biānmǎ: 736126). Liánxì Diànhuà: 85195277. Diànzǐ Yóuxiāng: jgtlv@ydalvwjp.biz.cn

Ke Qi Lin, Yi Xie Hotel, 368 Wang Bin Road, Urban Area, Jincheng, Shanxi. Postal Code: 736126. Phone Number: 85195277. E-mail: jgtlv@ydalvwjp.biz.cn

557。姓名: 诸葛原秀

住址（大学）：山西省运城市盐湖区水淹大学翼易路 737 号（邮政编码：590944）。联系电话：99477133。电子邮箱：tnase@xbfhzkeg.edu.cn

Zhù zhǐ: Zhūgě Yuán Xiù Shānxī Shěng Yùn Chéng Shì Yánhú Qū Shuǐ Yān DàxuéYì Yì Lù 737 Hào (Yóuzhèng Biānmǎ：590944). Liánxì Diànhuà：99477133. Diànzǐ Yóuxiāng：tnase@xbfhzkeg.edu.cn

Yuan Xiu Zhuge, Shui Yan University, 737 Yi Yi Road, Salt Lake District, Yuncheng, Shanxi. Postal Code: 590944. Phone Number：99477133. E-mail：tnase@xbfhzkeg.edu.cn

558。姓名: 赵迅山

住址（公共汽车站）：山西省朔州市怀仁市稼译路 475 号土友站（邮政编码：139045）。联系电话：18391350。电子邮箱：bwkfa@yvrsigcb.transport.cn

Zhù zhǐ: Zhào Xùn Shān Shānxī Shěng Shuò Zhōu Shì Huái Rén Shì Jià Yì Lù 475 Hào Tǔ Yǒu Zhàn (Yóuzhèng Biānmǎ：139045). Liánxì Diànhuà：18391350. Diànzǐ Yóuxiāng：bwkfa@yvrsigcb.transport.cn

Xun Shan Zhao, Tu You Bus Station, 475 Jia Yi Road, Huairen City, Shuozhou, Shanxi. Postal Code: 139045. Phone Number：18391350. E-mail：bwkfa@yvrsigcb.transport.cn

559。姓名: 家九食

住址（湖泊）：山西省吕梁市石楼县游辙路 428 号秀独湖（邮政编码：601776）。联系电话：71297276。电子邮箱：vzkbr@lczxfuth.lakes.cn

Zhù zhǐ: Jiā Jiǔ Shí Shānxī Shěng Lǚliáng Shì Shí Lóu Xiàn Yóu Zhé Lù 428 Hào Xiù Dú Hú (Yóuzhèng Biānmǎ：601776). Liánxì Diànhuà：71297276. Diànzǐ Yóuxiāng：vzkbr@lczxfuth.lakes.cn

Jiu Shi Jia, Xiu Du Lake, 428 You Zhe Road, Shilou County, Luliang, Shanxi. Postal Code: 601776. Phone Number：71297276. E-mail：vzkbr@lczxfuth.lakes.cn

560。姓名：贡己彬

住址（公园）：山西省忻州市宁武县维克路 578 号石晗公园（邮政编码：515603）。联系电话：14686556。电子邮箱：oafrj@fbztnpxv.parks.cn

Zhù zhǐ: Gòng Jǐ Bīn Shānxī Shěng Xīnzhōu Shì Níng Wǔ Xiàn Wéi Kè Lù 578 Hào Dàn Hán Gōng Yuán (Yóuzhèng Biānmǎ: 515603). Liánxì Diànhuà: 14686556. Diànzǐ Yóuxiāng: oafrj@fbztnpxv.parks.cn

Ji Bin Gong, Dan Han Park, 578 Wei Ke Road, Ningwu County, Xinzhou, Shanxi. Postal Code: 515603. Phone Number: 14686556. E-mail: oafrj@fbztnpxv.parks.cn

561。姓名：鲁员友

住址（湖泊）：山西省晋中市祁县祥风路 436 号全桥湖（邮政编码：931938）。联系电话：27183890。电子邮箱：skbyz@fsuzmdwv.lakes.cn

Zhù zhǐ: Lǔ Yuán Yǒu Shānxī Shěng Jìn Zhōng Shì Qí Xiàn Xiáng Fēng Lù 436 Hào Quán Qiáo Hú (Yóuzhèng Biānmǎ: 931938). Liánxì Diànhuà: 27183890. Diànzǐ Yóuxiāng: skbyz@fsuzmdwv.lakes.cn

Yuan You Lu, Quan Qiao Lake, 436 Xiang Feng Road, Qi County, Jinzhong, Shanxi. Postal Code: 931938. Phone Number: 27183890. E-mail: skbyz@fsuzmdwv.lakes.cn

562。姓名：尉迟启福

住址（寺庙）：山西省吕梁市孝义市炯石路 523 号臻译寺（邮政编码：356266）。联系电话：57297305。电子邮箱：liabx@tsvpgbzx.god.cn

Zhù zhǐ: Yùchí Qǐ Fú Shānxī Shěng Lǚliáng Shì Xiào Yì Shì Jiǒng Shí Lù 523 Hào Zhēn Yì Sì (Yóuzhèng Biānmǎ: 356266). Liánxì Diànhuà: 57297305. Diànzǐ Yóuxiāng: liabx@tsvpgbzx.god.cn

Qi Fu Yuchi, Zhen Yi Temple, 523 Jiong Shi Road, Xiaoyi City, Luliang, Shanxi. Postal Code: 356266. Phone Number：57297305. E-mail：liabx@tsvpgbzx.god.cn

563。姓名: 蒋译柱

住址（火车站）：山西省大同市平城区桥坤路 906 号大同站（邮政编码：719167）。联系电话：41283209。电子邮箱：wofnh@wpdzhjom.chr.cn

Zhù zhǐ: Jiǎng Yì Zhù Shānxī Shěng Dàtóng Shì Píng Chéng Qū Qiáo Kūn Lù 906 Hào Dàtóng Zhàn（Yóuzhèng Biānmǎ：719167). Liánxì Diànhuà：41283209. Diànzǐ Yóuxiāng：wofnh@wpdzhjom.chr.cn

Yi Zhu Jiang, Datong Railway Station, 906 Qiao Kun Road, Pingcheng District, Datong, Shanxi. Postal Code: 719167. Phone Number：41283209. E-mail：wofnh@wpdzhjom.chr.cn

564。姓名: 卫彬俊

住址（广场）：山西省运城市盐湖区桥人路 903 号陆游广场（邮政编码：433125）。联系电话：16299782。电子邮箱：omupb@fxzkvayj.squares.cn

Zhù zhǐ: Wèi Bīn Jùn Shānxī Shěng Yùn Chéng Shì Yánhú Qū Qiáo Rén Lù 903 Hào Lù Yóu Guǎng Chǎng（Yóuzhèng Biānmǎ：433125). Liánxì Diànhuà：16299782. Diànzǐ Yóuxiāng：omupb@fxzkvayj.squares.cn

Bin Jun Wei, Lu You Square, 903 Qiao Ren Road, Salt Lake District, Yuncheng, Shanxi. Postal Code: 433125. Phone Number：16299782. E-mail：omupb@fxzkvayj.squares.cn

565。姓名: 宓红盛

住址（家庭）：山西省长治市武乡县珏国路 405 号陆懂公寓 18 层 882 室（邮政编码：941600）。联系电话：14524512。电子邮箱：vxarm@niwmzcgh.cn

Zhù zhǐ: Mì Hóng Chéng Shānxī Shěng Chángzhì Shì Wǔ Xiāng Xiàn Jué Guó Lù 405 Hào Liù Dǒng Gōng Yù 18 Céng 882 Shì (Yóuzhèng Biānmǎ： 941600). Liánxì Diànhuà：14524512. Diànzǐ Yóuxiāng： vxarm@niwmzcgh.cn

Hong Cheng Mi, Room# 882, Floor# 18, Liu Dong Apartment, 405 Jue Guo Road, Wuxiang County, Changzhi, Shanxi. Postal Code: 941600. Phone Number： 14524512. E-mail： vxarm@niwmzcgh.cn

566。姓名: 季屹亮

住址（公共汽车站）：山西省阳泉市盂县渊柱路 625 号楚来站（邮政编码：974849）。联系电话：52771329。电子邮箱：pjfzo@zsodrbge.transport.cn

Zhù zhǐ: Jì Yì Liàng Shānxī Shěng Yángquán Shì Yú Xiàn Yuān Zhù Lù 625 Hào Chǔ Lái Zhàn (Yóuzhèng Biānmǎ： 974849). Liánxì Diànhuà：52771329. Diànzǐ Yóuxiāng： pjfzo@zsodrbge.transport.cn

Yi Liang Ji, Chu Lai Bus Station, 625 Yuan Zhu Road, Yu County, Yangquan, Shanxi. Postal Code: 974849. Phone Number： 52771329. E-mail： pjfzo@zsodrbge.transport.cn

567。姓名: 胡桥澜

住址（医院）：山西省大同市阳高县学隆路 866 号智熔医院（邮政编码：834122）。联系电话：73778921。电子邮箱：npckb@tswqivco.health.cn

Zhù zhǐ: Hú Qiáo Lán Shānxī Shěng Dàtóng Shì Yáng gāo xiàn Xué Lóng Lù 866 Hào Zhì Róng Yī Yuàn (Yóuzhèng Biānmǎ： 834122). Liánxì Diànhuà：73778921. Diànzǐ Yóuxiāng： npckb@tswqivco.health.cn

Qiao Lan Hu, Zhi Rong Hospital, 866 Xue Long Road, Yanggao County, Datong, Shanxi. Postal Code: 834122. Phone Number： 73778921. E-mail： npckb@tswqivco.health.cn

568。姓名: 卢舟领

住址（博物院）：山西省忻州市繁峙县尚全路 481 号忻州博物馆（邮政编码：894462）。联系电话：40718987。电子邮箱：mdiqo@opwvqlmy.museums.cn

Zhù zhǐ: Lú Zhōu Lǐng Shānxī Shěng Xīnzhōu Shì Fán Zhì Xiàn Shàng Quán Lù 481 Hào Xīnzōu Bó Wù Guǎn（Yóuzhèng Biānmǎ：894462). Liánxì Diànhuà：40718987. Diànzǐ Yóuxiāng：mdiqo@opwvqlmy.museums.cn

Zhou Ling Lu, Xinzhou Museum, 481 Shang Quan Road, Fanshi County, Xinzhou, Shanxi. Postal Code: 894462. Phone Number：40718987. E-mail：mdiqo@opwvqlmy.museums.cn

569。姓名: 艾钢圣

住址（寺庙）：山西省太原市清徐县珂强路 807 号甫臻寺（邮政编码：678424）。联系电话：15453515。电子邮箱：yuxkt@rqijysgh.god.cn

Zhù zhǐ: Ài Gāng Shèng Shānxī Shěng Tàiyuán Shì Qīng Xú Xiàn Kē Qiáng Lù 807 Hào Fǔ Zhēn Sì（Yóuzhèng Biānmǎ：678424). Liánxì Diànhuà：15453515. Diànzǐ Yóuxiāng：yuxkt@rqijysgh.god.cn

Gang Sheng Ai, Fu Zhen Temple, 807 Ke Qiang Road, Qingxu County, Taiyuan, Shanxi. Postal Code: 678424. Phone Number：15453515. E-mail：yuxkt@rqijysgh.god.cn

570。姓名: 杭跃鸣

住址（机场）：山西省吕梁市交城县亭茂路 290 号吕梁威甫国际机场（邮政编码：826975）。联系电话：19583610。电子邮箱：sgbpj@grdbyqxh.airports.cn

Zhù zhǐ: Háng Yuè Míng Shānxī Shěng Lǚliáng Shì Jiāo Chéng Xiàn Tíng Mào Lù 290 Hào Lǚliáng Wēi Fǔ Guó Jì Jī Chǎng（Yóuzhèng Biānmǎ：826975). Liánxì Diànhuà：19583610. Diànzǐ Yóuxiāng：sgbpj@grdbyqxh.airports.cn

Yue Ming Hang, Luliang Wei Fu International Airport, 290 Ting Mao Road, Jiaocheng County, Luliang, Shanxi. Postal Code: 826975. Phone Number：19583610. E-mail：sgbpj@grdbyqxh.airports.cn

CHAPTER 5: NAME, SURNAME & ADDRESSES (121-150)

571。姓名: 薄光超

住址（公司）：山西省忻州市偏关县世铁路 245 号食冕有限公司（邮政编码：830856）。联系电话：71766203。电子邮箱：dmler@mupckody.biz.cn

Zhù zhǐ: Bó Guāng Chāo Shānxī Shěng Xīnzhōu Shì Piān Guān Xiàn Shì Tiě Lù 245 Hào Sì Miǎn Yǒuxiàn Gōngsī (Yóuzhèng Biānmǎ：830856). Liánxì Diànhuà：71766203. Diànzǐ Yóuxiāng：dmler@mupckody.biz.cn

Guang Chao Bo, Si Mian Corporation, 245 Shi Tie Road, Pianguan County, Xinzhou, Shanxi. Postal Code: 830856. Phone Number：71766203. E-mail：dmler@mupckody.biz.cn

572。姓名: 阚舟九

住址（广场）：山西省大同市阳高县员来路 271 号冠尚广场（邮政编码：420361）。联系电话：43739240。电子邮箱：mulbc@btahlimj.squares.cn

Zhù zhǐ: Kàn Zhōu Jiǔ Shānxī Shěng Dàtóng Shì Yáng gāo xiàn Yún Lái Lù 271 Hào Guàn Shàng Guǎng Chǎng (Yóuzhèng Biānmǎ：420361). Liánxì Diànhuà：43739240. Diànzǐ Yóuxiāng：mulbc@btahlimj.squares.cn

Zhou Jiu Kan, Guan Shang Square, 271 Yun Lai Road, Yanggao County, Datong, Shanxi. Postal Code: 420361. Phone Number：43739240. E-mail：mulbc@btahlimj.squares.cn

573。姓名: 鲜于计斌

住址（公司）：山西省晋中市祁县冕腾路 588 号辙珏有限公司（邮政编码：340266）。联系电话：65507764。电子邮箱：xrobe@yivcnpaz.biz.cn

Zhù zhǐ: Xiānyú Jì Bīn Shānxī Shěng Jìn Zhōng Shì Qí Xiàn Miǎn Téng Lù 588 Hào Zhé Jué Yǒuxiàn Gōngsī (Yóuzhèng Biānmǎ：340266). Liánxì Diànhuà：65507764. Diànzǐ Yóuxiāng：xrobe@yivcnpaz.biz.cn

Ji Bin Xianyu, Zhe Jue Corporation, 588 Mian Teng Road, Qi County, Jinzhong, Shanxi. Postal Code: 340266. Phone Number：65507764. E-mail：xrobe@yivcnpaz.biz.cn

574。姓名: 荀国坡

住址（公园）：山西省临汾市蒲县鸣亮路 949 号来桥公园（邮政编码：971363）。联系电话：53210628。电子邮箱：iqpvt@udkwrjoe.parks.cn

Zhù zhǐ: Xún Guó Pō Shānxī Shěng Línfén Shì Pú Xiàn Míng Liàng Lù 949 Hào Lái Qiáo Gōng Yuán （Yóuzhèng Biānmǎ：971363). Liánxì Diànhuà：53210628. Diànzǐ Yóuxiāng：iqpvt@udkwrjoe.parks.cn

Guo Po Xun, Lai Qiao Park, 949 Ming Liang Road, Pu County, Linfen, Shanxi. Postal Code: 971363. Phone Number：53210628. E-mail：iqpvt@udkwrjoe.parks.cn

575。姓名: 邰金臻

住址（机场）：山西省朔州市山阴县乙居路 800 号朔州振浩国际机场（邮政编码：534234）。联系电话：93704059。电子邮箱：izsef@fdcblxra.airports.cn

Zhù zhǐ: Tái Jīn Zhēn Shānxī Shěng Shuò Zhōu Shì Shān Yīn Xiàn Yǐ Jū Lù 800 Hào uò Zōu Zhèn Hào Guó Jì Jī Chǎng （Yóuzhèng Biānmǎ：534234). Liánxì Diànhuà：93704059. Diànzǐ Yóuxiāng：izsef@fdcblxra.airports.cn

Jin Zhen Tai, Shuozhou Zhen Hao International Airport, 800 Yi Ju Road, Sanyin County, Shuozhou, Shanxi. Postal Code: 534234. Phone Number：93704059. E-mail：izsef@fdcblxra.airports.cn

576。姓名: 秋钊屹

住址（公园）：山西省运城市垣曲县盛已路 631 号腾全公园（邮政编码：714402）。联系电话：61293016。电子邮箱：tmenz@novdsjhp.parks.cn

Zhù zhǐ: Qiū Zhāo Yì Shānxī Shěng Yùn Chéng Shì Yuán Qū Xiàn Shèng Jǐ Lù 631 Hào Téng Quán Gōng Yuán (Yóuzhèng Biānmǎ: 714402). Liánxì Diànhuà: 61293016. Diànzǐ Yóuxiāng: tmenz@novdsjhp.parks.cn

Zhao Yi Qiu, Teng Quan Park, 631 Sheng Ji Road, Yuanqu County, Yuncheng, Shanxi. Postal Code: 714402. Phone Number: 61293016. E-mail: tmenz@novdsjhp.parks.cn

577。姓名: 红石愈

住址（寺庙）：山西省长治市武乡县兆甫路 787 号恩俊寺（邮政编码: 824940）。联系电话：39292111。电子邮箱：zvasu@afizgjbe.god.cn

Zhù zhǐ: Hóng Shí Yù Shānxī Shěng Chángzhì Shì Wǔ Xiāng Xiàn Zhào Fǔ Lù 787 Hào Ēn Jùn Sì (Yóuzhèng Biānmǎ: 824940). Liánxì Diànhuà: 39292111. Diànzǐ Yóuxiāng: zvasu@afizgjbe.god.cn

Shi Yu Hong, En Jun Temple, 787 Zhao Fu Road, Wuxiang County, Changzhi, Shanxi. Postal Code: 824940. Phone Number: 39292111. E-mail: zvasu@afizgjbe.god.cn

578。姓名: 申坡屹

住址（机场）：山西省临汾市尧都区隆豹路 285 号临汾威威国际机场（邮政编码: 406947）。联系电话：87999734。电子邮箱：gfdqs@hvigbwdy.airports.cn

Zhù zhǐ: Shēn Pō Yì Shānxī Shěng Línfén Shì Yáo Dōu Qū Lóng Bào Lù 285 Hào Línfén Wēi Wēi Guó Jì Jī Chǎng (Yóuzhèng Biānmǎ: 406947). Liánxì Diànhuà: 87999734. Diànzǐ Yóuxiāng: gfdqs@hvigbwdy.airports.cn

Po Yi Shen, Linfen Wei Wei International Airport, 285 Long Bao Road, Yaodu District, Linfen, Shanxi. Postal Code: 406947. Phone Number: 87999734. E-mail: gfdqs@hvigbwdy.airports.cn

579。姓名: 倪鸣磊

住址（大学）：山西省吕梁市方山县石白大学金大路 635 号（邮政编码：222419）。联系电话：97657833。电子邮箱：srxuk@ewctnqud.edu.cn

Zhù zhǐ: Ní Míng Lěi Shānxī Shěng Lǚliáng Shì Fāng Shān Xiàn Dàn Bái DàxuéJīn Dà Lù 635 Hào（Yóuzhèng Biānmǎ：222419）. Liánxì Diànhuà：97657833. Diànzǐ Yóuxiāng：srxuk@ewctnqud.edu.cn

Ming Lei Ni, Dan Bai University, 635 Jin Da Road, Fangshan County, Luliang, Shanxi. Postal Code: 222419. Phone Number：97657833. E-mail：srxuk@ewctnqud.edu.cn

580。姓名: 房跃可

住址（火车站）：山西省忻州市静乐县钊仲路 914 号忻州站（邮政编码：212200）。联系电话：78942790。电子邮箱：jwexv@bexqrlav.chr.cn

Zhù zhǐ: Fáng Yuè Kě Shānxī Shěng Xīnzhōu Shì Jìng Lè Xiàn Zhāo Zhòng Lù 914 Hào Xīnzōu Zhàn（Yóuzhèng Biānmǎ：212200）. Liánxì Diànhuà：78942790. Diànzǐ Yóuxiāng：jwexv@bexqrlav.chr.cn

Yue Ke Fang, Xinzhou Railway Station, 914 Zhao Zhong Road, Jingle County, Xinzhou, Shanxi. Postal Code: 212200. Phone Number：78942790. E-mail：jwexv@bexqrlav.chr.cn

581。姓名: 秋豹乙

住址（家庭）：山西省运城市垣曲县独熔路 124 号坡陆公寓 38 层 348 室（邮政编码：129412）。联系电话：76257475。电子邮箱：xtgrk@atngzmoj.cn

Zhù zhǐ: Qiū Bào Yǐ Shānxī Shěng Yùn Chéng Shì Yuán Qū Xiàn Dú Róng Lù 124 Hào Pō Lù Gōng Yù 38 Céng 348 Shì（Yóuzhèng Biānmǎ：129412）. Liánxì Diànhuà：76257475. Diànzǐ Yóuxiāng：xtgrk@atngzmoj.cn

Bao Yi Qiu, Room# 348, Floor# 38, Po Lu Apartment, 124 Du Rong Road, Yuanqu County, Yuncheng, Shanxi. Postal Code: 129412. Phone Number：76257475. E-mail：xtgrk@atngzmoj.cn

582。姓名: 巫马全轶

住址（寺庙）：山西省大同市平城区宽世路 178 号院智寺（邮政编码：223563）。联系电话：84521930。电子邮箱：cdtzk@mpgsbhkr.god.cn

Zhù zhǐ: Wūmǎ Quán Yì Shānxī Shěng Dàtóng Shì Píng Chéng Qū Kuān Shì Lù 178 Hào Yuàn Zhì Sì (Yóuzhèng Biānmǎ：223563). Liánxì Diànhuà：84521930. Diànzǐ Yóuxiāng：cdtzk@mpgsbhkr.god.cn

Quan Yi Wuma, Yuan Zhi Temple, 178 Kuan Shi Road, Pingcheng District, Datong, Shanxi. Postal Code: 223563. Phone Number：84521930. E-mail：cdtzk@mpgsbhkr.god.cn

583。姓名: 国先不

住址（公共汽车站）：山西省吕梁市兴县白绅路 372 号乙其站（邮政编码：143415）。联系电话：62997227。电子邮箱：yiwpj@ugramsjw.transport.cn

Zhù zhǐ: Guó Xiān Bù Shānxī Shěng Lǚliáng Shì Xìng Xiàn Bái Shēn Lù 372 Hào Yǐ Qí Zhàn (Yóuzhèng Biānmǎ：143415). Liánxì Diànhuà：62997227. Diànzǐ Yóuxiāng：yiwpj@ugramsjw.transport.cn

Xian Bu Guo, Yi Qi Bus Station, 372 Bai Shen Road, Xing County, Luliang, Shanxi. Postal Code: 143415. Phone Number：62997227. E-mail：yiwpj@ugramsjw.transport.cn

584。姓名: 太叔自陆

住址（湖泊）：山西省临汾市大宁县翰奎路 192 号愈波湖（邮政编码：631646）。联系电话：64763502。电子邮箱：huywr@xgfarebu.lakes.cn

Zhù zhǐ: Tàishū Zì Lù Shānxī Shěng Línfén Shì Dà Níngxiàn Hàn Kuí Lù 192 Hào Yù Bō Hú (Yóuzhèng Biānmǎ：631646). Liánxì Diànhuà：64763502. Diànzǐ Yóuxiāng：huywr@xgfarebu.lakes.cn

Zi Lu Taishu, Yu Bo Lake, 192 Han Kui Road, Daning County, Linfen, Shanxi. Postal Code: 631646. Phone Number：64763502. E-mail：huywr@xgfarebu.lakes.cn

585。姓名: 俖珂译

住址（公共汽车站）：山西省大同市平城区帆学路 529 号轼辉站（邮政编码：851686）。联系电话：25090656。电子邮箱：plyrf@uxdyptil.transport.cn

Zhù zhǐ: Nài Kē Yì Shānxī Shěng Dàtóng Shì Píng Chéng Qū Fān Xué Lù 529 Hào Shì Huī Zhàn (Yóuzhèng Biānmǎ：851686). Liánxì Diànhuà：25090656. Diànzǐ Yóuxiāng：plyrf@uxdyptil.transport.cn

Ke Yi Nai, Shi Hui Bus Station, 529 Fan Xue Road, Pingcheng District, Datong, Shanxi. Postal Code: 851686. Phone Number：25090656. E-mail：plyrf@uxdyptil.transport.cn

586。姓名: 蒯秀豪

住址（公共汽车站）：山西省太原市娄烦县焯大路 375 号嘉波站（邮政编码：786719）。联系电话：27197454。电子邮箱：ktfsv@yqgrunsj.transport.cn

Zhù zhǐ: Kuǎi Xiù Háo Shānxī Shěng Tàiyuán Shì Lóu Fán Xiàn Chāo Dài Lù 375 Hào Jiā Bō Zhàn (Yóuzhèng Biānmǎ：786719). Liánxì Diànhuà：27197454. Diànzǐ Yóuxiāng：ktfsv@yqgrunsj.transport.cn

Xiu Hao Kuai, Jia Bo Bus Station, 375 Chao Dai Road, Loufan County, Taiyuan, Shanxi. Postal Code: 786719. Phone Number：27197454. E-mail：ktfsv@yqgrunsj.transport.cn

587。姓名: 乜谢柱

住址（大学）：山西省晋中市昔阳县骥舟大学彬轼路 576 号（邮政编码：600918）。联系电话：92436387。电子邮箱：pjsgt@qlicopbe.edu.cn

Zhù zhǐ: Niè Xiè Zhù Shānxī Shěng Jìn Zhōng Shì Xī Yáng Xiàn Jì Zhōu DàxuéBīn Shì Lù 576 Hào (Yóuzhèng Biānmǎ：600918). Liánxì Diànhuà：92436387. Diànzǐ Yóuxiāng：pjsgt@qlicopbe.edu.cn

Xie Zhu Nie, Ji Zhou University, 576 Bin Shi Road, Xiyang County, Jinzhong, Shanxi. Postal Code: 600918. Phone Number：92436387. E-mail：pjsgt@qlicopbe.edu.cn

588。姓名: 祖铭隆

住址（广场）：山西省晋城市阳城县原易路 609 号员友广场（邮政编码：131428）。联系电话：68155051。电子邮箱：mebnw@feqtbaiy.squares.cn

Zhù zhǐ: Zǔ Míng Lóng Shānxī Shěng Jìnchéng Shì Yáng Chéng Xiàn Yuán Yì Lù 609 Hào Yuán Yǒu Guǎng Chǎng (Yóuzhèng Biānmǎ：131428). Liánxì Diànhuà：68155051. Diànzǐ Yóuxiāng：mebnw@feqtbaiy.squares.cn

Ming Long Zu, Yuan You Square, 609 Yuan Yi Road, Yangcheng County, Jincheng, Shanxi. Postal Code: 131428. Phone Number：68155051. E-mail：mebnw@feqtbaiy.squares.cn

589。姓名: 从全毅

住址（公司）：山西省运城市芮城县冠柱路 585 号领乐有限公司（邮政编码：713119）。联系电话：92450429。电子邮箱：yalgk@upjnbvze.biz.cn

Zhù zhǐ: Cóng Quán Yì Shānxī Shěng Yùn Chéng Shì Ruì Chéng Xiàn Guàn Zhù Lù 585 Hào Lǐng Lè Yǒuxiàn Gōngsī (Yóuzhèng Biānmǎ：713119). Liánxì Diànhuà：92450429. Diànzǐ Yóuxiāng：yalgk@upjnbvze.biz.cn

Quan Yi Cong, Ling Le Corporation, 585 Guan Zhu Road, Ruicheng County, Yuncheng, Shanxi. Postal Code: 713119. Phone Number：92450429. E-mail：yalgk@upjnbvze.biz.cn

590。姓名: 常斌福

住址（家庭）：山西省临汾市尧都区金毅路 394 号彬先公寓 19 层 139 室
（邮政编码：474520）。联系电话：25867261。电子邮箱：
tlmdg@gajxfzqr.cn

Zhù zhǐ: Cháng Bīn Fú Shānxī Shěng Línfén Shì Yáo Dōu Qū Jīn Yì Lù 394 Hào Bīn
Xiān Gōng Yù 19 Céng 139 Shì (Yóuzhèng Biānmǎ：474520). Liánxì Diànhuà：
25867261. Diànzǐ Yóuxiāng：tlmdg@gajxfzqr.cn

Bin Fu Chang, Room# 139, Floor# 19, Bin Xian Apartment, 394 Jin Yi Road, Yaodu
District, Linfen, Shanxi. Postal Code: 474520. Phone Number：25867261. E-mail:
tlmdg@gajxfzqr.cn

591。姓名: 宗政晖岐

住址（公共汽车站）：山西省忻州市保德县员熔路 167 号科独站（邮政编码：
483004）。联系电话：71472097。电子邮箱：izhgs@axcvpgnl.transport.cn

Zhù zhǐ: Zōngzhèng Huī Qí Shānxī Shěng Xīnzhōu Shì Bǎo Dé Xiàn Yún Róng Lù 167
Hào Kē Dú Zhàn (Yóuzhèng Biānmǎ：483004). Liánxì Diànhuà：71472097. Diànzǐ
Yóuxiāng：izhgs@axcvpgnl.transport.cn

Hui Qi Zongzheng, Ke Du Bus Station, 167 Yun Rong Road, Baode County, Xinzhou,
Shanxi. Postal Code: 483004. Phone Number：71472097. E-mail：
izhgs@axcvpgnl.transport.cn

592。姓名: 壤驷迅锤

住址（医院）：山西省临汾市吉县浩焯路 176 号坚乙医院（邮政编码：
194467）。联系电话：54262701。电子邮箱：qikhm@zdgirosy.health.cn

Zhù zhǐ: Rǎngsì Xùn Chuí Shānxī Shěng Línfén Shì Jí Xiàn Hào Chāo Lù 176 Hào Jiān
Yǐ Yī Yuàn (Yóuzhèng Biānmǎ：194467). Liánxì Diànhuà：54262701. Diànzǐ
Yóuxiāng：qikhm@zdgirosy.health.cn

Xun Chui Rangsi, Jian Yi Hospital, 176 Hao Chao Road, Ji County, Linfen, Shanxi. Postal Code: 194467. Phone Number：54262701. E-mail：qikhm@zdgirosy.health.cn

593。姓名: 郭钊跃

住址（大学）：山西省晋城市泽州县毅惟大学仓刚路 872 号（邮政编码：734314）。联系电话：56725145。电子邮箱：lfbdx@phuyezcb.edu.cn

Zhù zhǐ: Guō Zhāo Yuè Shānxī Shěng Jìnchéng Shì Zé Zhōu Xiàn Yì Wéi DàxuéCāng Gāng Lù 872 Hào (Yóuzhèng Biānmǎ：734314). Liánxì Diànhuà：56725145. Diànzǐ Yóuxiāng：lfbdx@phuyezcb.edu.cn

Zhao Yue Guo, Yi Wei University, 872 Cang Gang Road, Zezhou County, Jincheng, Shanxi. Postal Code: 734314. Phone Number：56725145. E-mail：lfbdx@phuyezcb.edu.cn

594。姓名: 荀坤星

住址（医院）：山西省临汾市大宁县盛锡路 554 号乐游医院（邮政编码：209722）。联系电话：90578021。电子邮箱：ctaye@ynvmpwjx.health.cn

Zhù zhǐ: Xún Kūn Xīng Shānxī Shěng Línfén Shì Dà Níngxiàn Chéng Xī Lù 554 Hào Lè Yóu Yī Yuàn (Yóuzhèng Biānmǎ：209722). Liánxì Diànhuà：90578021. Diànzǐ Yóuxiāng：ctaye@ynvmpwjx.health.cn

Kun Xing Xun, Le You Hospital, 554 Cheng Xi Road, Daning County, Linfen, Shanxi. Postal Code: 209722. Phone Number：90578021. E-mail：ctaye@ynvmpwjx.health.cn

595。姓名: 徐成岐

住址（寺庙）：山西省吕梁市交口县亮全路 871 号翰盛寺（邮政编码：122167）。联系电话：79384154。电子邮箱：jvmwg@xcugjwdr.god.cn

Zhù zhǐ: Xú Chéng Qí Shānxī Shěng Lǚliáng Shì Jiāokǒu Xiàn Liàng Quán Lù 871 Hào Hàn Shèng Sì (Yóuzhèng Biānmǎ: 122167). Liánxì Diànhuà: 79384154. Diànzǐ Yóuxiāng: jvmwg@xcugjwdr.god.cn

Cheng Qi Xu, Han Sheng Temple, 871 Liang Quan Road, Jiaokou County, Luliang, Shanxi. Postal Code: 122167. Phone Number: 79384154. E-mail: jvmwg@xcugjwdr.god.cn

596。姓名: 劳红白

住址（医院）：山西省太原市清徐县愈阳路 750 号稼星医院（邮政编码：814694）。联系电话：91397595。电子邮箱：zbfka@mgbdlrky.health.cn

Zhù zhǐ: Láo Hóng Bái Shānxī Shěng Tàiyuán Shì Qīng Xú Xiàn Yù Yáng Lù 750 Hào Jià Xīng Yī Yuàn (Yóuzhèng Biānmǎ: 814694). Liánxì Diànhuà: 91397595. Diànzǐ Yóuxiāng: zbfka@mgbdlrky.health.cn

Hong Bai Lao, Jia Xing Hospital, 750 Yu Yang Road, Qingxu County, Taiyuan, Shanxi. Postal Code: 814694. Phone Number: 91397595. E-mail: zbfka@mgbdlrky.health.cn

597。姓名: 终豹铁

住址（医院）：山西省朔州市应县成土路 147 号屹惟医院（邮政编码：970166）。联系电话：87496751。电子邮箱：gitzb@uspyhzwx.health.cn

Zhù zhǐ: Zhōng Bào Tiě Shānxī Shěng Shuò Zhōu Shì Yìng Xiàn Chéng Tǔ Lù 147 Hào Yì Wéi Yī Yuàn (Yóuzhèng Biānmǎ: 970166). Liánxì Diànhuà: 87496751. Diànzǐ Yóuxiāng: gitzb@uspyhzwx.health.cn

Bao Tie Zhong, Yi Wei Hospital, 147 Cheng Tu Road, Ying County, Shuozhou, Shanxi. Postal Code: 970166. Phone Number: 87496751. E-mail: gitzb@uspyhzwx.health.cn

598。姓名: 姬庆铭

住址（博物院）：山西省忻州市五寨县盛不路 130 号忻州博物馆（邮政编码：362363）。联系电话：45262470。电子邮箱：awqsz@gtbdsmyk.museums.cn

Zhù zhǐ: Jī Qìng Míng Shānxī Shěng Xīnzhōu Shì Wǔ Zhài Xiàn Chéng Bù Lù 130 Hào Xīnzōu Bó Wù Guǎn（Yóuzhèng Biānmǎ：362363). Liánxì Diànhuà：45262470. Diànzǐ Yóuxiāng：awqsz@gtbdsmyk.museums.cn

Qing Ming Ji, Xinzhou Museum, 130 Cheng Bu Road, Wuzhai County, Xinzhou, Shanxi. Postal Code: 362363. Phone Number：45262470. E-mail：awqsz@gtbdsmyk.museums.cn

599。姓名:诸九屹

住址（机场）：山西省朔州市应县泽食路 650 号朔州胜舟国际机场（邮政编码：730128）。联系电话：77371526。电子邮箱：okudi@ujiblkoh.airports.cn

Zhù zhǐ: Zhū Jiǔ Yì Shānxī Shěng Shuò Zhōu Shì Yìng Xiàn Zé Shí Lù 650 Hào uò Zōu Shēng Zhōu Guó Jì Jī Chǎng（Yóuzhèng Biānmǎ：730128). Liánxì Diànhuà：77371526. Diànzǐ Yóuxiāng：okudi@ujiblkoh.airports.cn

Jiu Yi Zhu, Shuozhou Sheng Zhou International Airport, 650 Ze Shi Road, Ying County, Shuozhou, Shanxi. Postal Code: 730128. Phone Number：77371526. E-mail：okudi@ujiblkoh.airports.cn

600。姓名:秦盛迅

住址（公园）：山西省忻州市河曲县己冕路 581 号山兵公园（邮政编码：748202）。联系电话：13520184。电子邮箱：ruipy@lwzjynie.parks.cn

Zhù zhǐ: Qín Shèng Xùn Shānxī Shěng Xīnzhōu Shì Héqū Xiàn Jǐ Miǎn Lù 581 Hào Shān Bīng Gōng Yuán（Yóuzhèng Biānmǎ：748202). Liánxì Diànhuà：13520184. Diànzǐ Yóuxiāng：ruipy@lwzjynie.parks.cn

Sheng Xun Qin, Shan Bing Park, 581 Ji Mian Road, Hequ County, Xinzhou, Shanxi. Postal Code: 748202. Phone Number：13520184. E-mail：ruipy@lwzjynie.parks.cn

Milton Keynes UK
Ingram Content Group UK Ltd.
UKHW050916260224
438492UK00013B/622